Inhalt

Dank

Mein aufrichtiger Dank gilt den Therapeuten Liz Morris und Tim Sparrow, die mir während der Arbeit an *Trennungsschmerz* stets mit ihrem Wissen, ihrer Erfahrung, ihren Ermutigungen und wichtigen Informationen hilfreich zur Seite gestanden haben. Ihre Unterstützung hat mich immer wieder inspiriert.

Danken möchte ich auch Gordon Evans, dem Convener der Scottish Charity Break-up Support*, der mich zum Schreiben dieses Buches ermunterte. Er teilte meine Überzeugung, dass Betroffenen dieses Buch, das sowohl Hintergrundinformationen zum Thema liefert als auch die notwendige emotionale Tiefe enthält, von großem Nutzen sein kann. Meinen weiteren Dank möchte ich Helen Denholm aussprechen, die mir vom ersten Tag an mit konstruktiven Ratschlägen und fortwährender Unterstützung beigestanden hat.

Weiterhin möchte ich all jenen danken, die mir so offen ihre persönlichen Erfahrungen geschildert haben, damit andere Betroffene davon profitieren können. In diesem Buch schildere ich ausschließlich reale Erlebnisse, geändert wurden lediglich die Namen der angeführten Personen. Die Offenheit und Ehrlichkeit, die mir diese Menschen in unseren Gesprächen entgegengebracht haben, waren für mich ein wirklich einzigartiges Erlebnis.

---

* Charity Break-up Support: Organisation zur Unterstützung von „Opfern" aus zerbrochenen Beziehungen (Anm. d. Red.).

Einleitung

Die Thematik gescheiterter Beziehungen ist von einer stetig wachsenden Wolke aus Verwirrung und Diskussionen umgeben. Wie wirkt sich eine Trennung auf die Betroffenen aus? Welche Bedeutung hat die beständig wachsende Zahl der Trennungen für unsere Kultur? Wie sollen wir mit einer Trennung umgehen? Bis heute hat noch niemand eine eindeutige Antwort auf all diese Fragen gefunden. Vielleicht ist der Grund dafür, dass die Vorstellung von Partnerschaft – die Bedeutung einer Partnerschaft für den einzelnen Menschen – sich im Lauf der Zeit dramatisch verändert hat.

Allgemein wird mit einer Beziehung die Erfüllung individueller Erwartungen, persönlicher Träume, Hoffnungen und Idealvorstellungen verbunden. Unsere Erwartungen an eine Partnerschaft unterscheiden sich grundlegend von denen unserer Eltern, deren Vorstellungen wiederum stark von denen ihrer Eltern abweichen. Partnerschaft ist ein dehnbarer Begriff, weil er so viele individuelle Vorstellungen umfasst. Die verschiedenen Erwartungen an eine *ideale* Partnerschaft haben zahlreiche Illusionen, Verwirrung und Frustration zur Folge.

Partnerschaft bedeutet heute nicht zwangsläufig Ehe. Inzwischen ziehen viele Paare eine Beziehung ohne Trauschein der herkömmlichen Ehe vor. Auch dieses Zusammenleben wird heute als eine Form der gegenseitigen Verpflichtung definiert. Bricht eine Partnerschaft auseinander, macht es keinen Unterschied, ob das Paar nun verheiratet war oder nicht. Nichtverheiratete haben ebenso viel Zeit, Energie und Vertrauen in die Zukunft ihrer Partnerschaft investiert wie verheiratete Paare auch. In den meisten Fällen müssen auch sie das gemeinsame Eigentum untereinander aufteilen. Sie haben einen gemeinsamen Freundeskreis und Beziehungen zu ihren „angeheirateten" Verwandten aufgebaut. Sie haben um die Partnerschaft herum ein gemeinsames Leben aufgebaut.

Gegenseitige Verpflichtungen lassen sich als der kleinste gemeinsame Nenner jeder Partnerschaft bezeichnen, ob diese nun durch einen Trauschein besiegelt wurde oder nicht. Dieses Buch ist denen gewidmet, die eine Trennung hinter sich haben. Wenn im Folgenden das Wort „Ehe" oder Ähnliches verwendet wird, so schließt dieser Begriff eheähnliche Lebensgemeinschaften mit ein. Die Folgen einer Trennung lassen sich mit den Erfahrungen eines Kampfes, einer schweren Krankheit oder einer Naturkatastrophe vergleichen. Es spielt keine Rolle, woher Sie kommen oder wohin Sie gehen – eine Trennung hebt alle Unterschiede auf. Es wird Zeit, dass wir lernen, das Wesentliche dieses Vorgangs sowie seine Auswirkungen auf die Menschen zu verstehen.

Einige Aspekte einer Trennung sind sozusagen universell, doch jeder Mensch erlebt sie völlig individuell. In diesem Buch stelle ich Ihnen verschiedene Trennungsgeschichten vor. Mit der einen oder anderen können Sie sich wahrscheinlich identifizieren, mit anderen wiederum nicht. Wenn dieses Buch, und sei es auch nur mit einem kleinen Detail, Ihnen hilft, mit dem Scheitern Ihrer Partnerschaft leichter umzugehen, hat es seinen Zweck erfüllt.

Erlauben Sie mir eine kurze Erklärung des Begriffs „Scheidung" und dessen, was eine Scheidung bedeutet. Betrachtet man Trennungen aus einem größeren Zusammenhang heraus, so ist die Scheidung eine relativ moderne Erscheinung. Jeder von uns hat einen Freund, einen Bekannten oder Verwandten, der eine Scheidung hinter sich hat. Deshalb tendieren wir dazu, eine Trennung als eine relativ alltägliche Angelegenheit zu betrachten. Viele Menschen betrachten das Phänomen Scheidung als nichts anderes als eine moderne Kulturkrankheit. Wir haben gelernt, damit zu leben und die Tatsache, dass es Scheidungen gibt, als einen Bestandteil des modernen Lebens zu akzeptieren. Aus diesem Grund ist die Auffassung, dass das Leben schließlich weitergeht und die Betroffenen ihren Schmerz gefälligst verarbeiten und sich zusammenreißen sollen, sehr beliebt.

Viele Menschen sind der Meinung, die Scheidung würde den Beteiligten zu leicht gemacht und das Scheidungsrecht in der westlichen Welt sei bei weitem zu liberal. Das Argument, die Scheidung sei ein Schlupfloch für diejenigen, die das Ehegelübde nicht ernst nehmen, ist ebenfalls weit verbreitet. Ist die Ehe nicht perfekt, kein Problem: Pack einfach deine Sachen und geh! Wenn jemand von seinem Partner verlassen wird, leidet er eben eine gewisse Zeit und geht dann los, um sich einen neuen Gefährten „aufzureißen". Auf diese Weise lässt sich das Loch, das der ehemalige Lebensgefährte im Leben des anderen hinterlassen hat, stopfen. Diese Auffassung begegnet uns immer wieder. Doch diejenigen, die diese Ansicht vertreten, befinden sich nicht selbst in dieser Lage bzw. haben noch nie eine Trennung erlebt.

Das Scheitern einer Beziehung wird in der Regel auf eine der beiden folgenden Thesen zurückgeführt. Die erste besagt: Da die Scheidung für jedermann möglich ist, ist sie für diejenigen, die in einer nicht-intakten Partnerschaft leben, die einfachste Lösung und nichts weiter als eine vorübergehende Unannehmlichkeit. Auf lange Sicht ist sie eine schmerzlose Möglichkeit, einer Beziehungskrise zu entkommen. Scheidung ist leicht. Unter diesem Aspekt scheint eine Scheidung nichts weiter zu sein als ein chirurgischer Eingriff. Die Ursache der Beschwerden – in diesem Fall eine Ehe – wird entfernt und alles ist wieder in Ordnung. Die Zeit heilt alle Wunden; vorausgesetzt, die Betroffenen erhalten angemessene Unterstützung und finden sich mit der Trennung ab. In vielen Fällen ist eine Scheidung sicherlich die klügste Entscheidung – doch eines steht fest: Eine Trennung ist in jedem Fall ein schmerzliches Erlebnis. Es braucht lange Zeit, bis wir uns von einer Trennung erholen. Und danach sind wir nie wieder die, die wir einmal waren.

Die zweite These besagt: Die permanent steigende Scheidungsrate ist ein Indiz dafür, dass es sich hierbei um einen völlig natürlichen Vorgang handelt, mit dem der Mensch folglich auch umgehen können muss. Diese Behauptung ist sowohl naiv als auch ein Schlag ins Gesicht für diejenigen, die sich in dieser Situation befinden. Menschen, die eine Scheidung erleben, fühlen sich in der Regel allein und verlassen. Sie wenden sich an ihre Mitmenschen und suchen dort Antworten auf die Fragen, ob sie „richtig" fühlen und ob ihre in den meisten Fällen tiefen Gefühle „richtig" sind. Die Betroffenen müssen sich mit dem Ende eines wichtigen

Lebensabschnitts abfinden. Sie müssen sich ein neues eigenes Leben aufbauen und ganz von vorn anfangen. Dies erfordert großes Vertrauen in die Zukunft und eine Menge Mut.

Eine Trennung ist weder ein fließender Übergang noch ein belangloses Erlebnis. Das Gefühlsleben der Betroffenen wird zumeist auf die notwendigsten Funktionen reduziert. Der Schmerz, die Verletzlichkeit und die Verwirrung, die durch eine Trennung entstehen, führen vielfach zu einer regelrechten, wenn auch kurzfristigen psychologischen Lähmung.

Bei physischen Verletzungen bzw. Schmerzen können wir auf Schmerzmittel zurückgreifen. Wir können einen Arzt konsultieren, der die Ursachen diagnostiziert und behandelt. Der Schmerz lässt nach, die Verletzung heilt aus. Für die bei einer Trennung erlittenen Schmerzen bzw. Verletzungen stehen uns keine Schmerzmittel zur Verfügung. Wir müssen den Schmerz durchleben, und inwiefern wir geheilt werden, hängt ganz allein von uns selbst sowie unserem Wunsch nach einem Leben ohne Schmerzen ab. Nicht zuletzt spielt auch unser Umfeld, die Menschen, mit denen wir uns umgeben, und deren Mitgefühl und Unterstützung bei der psychischen Heilung eine große Rolle.

Warum ist eine Trennung ein solch traumatisches Erlebnis? Der Verlust lässt sich nicht nur auf die Beziehung beschränken. Wir verlieren nicht nur den Partner. Wir verlieren Vertrauen, unsere Träume, Ideale, Sicherheit und unser Lebensziel. Das alles sind Dinge, von denen wir nicht wissen, ob wir sie je wieder besitzen werden. Auf kurze Sicht sehen wir keinen Sinn mehr in den alltäglichen Dingen. Ob wir uns nun dessen bewusst sind oder nicht, unser Alltag hat sich unweigerlich mehr und mehr mit unserer Beziehung verstrickt. Wenn die Beziehung nicht mehr Bestandteil unseres Lebens ist, verlieren wir automatisch den Glauben an uns selbst. Sobald der erste Schock vorüber ist, fragen wir uns, wie wir die Scherben wieder zusammensetzen können und ob sie jemals wieder zusammenpassen werden. Selbstverständlich werden sie es nicht. Wir wissen, dass es nicht so sein wird, und genau das ist der Grund für den überwältigenden Schmerz. Wir wissen, dass unser Leben nie wieder so sein wird, wie es einmal war. *Wir* werden nie wieder der Mensch sein, der wir waren.

Auch wenn es uns schwer fällt, diese Tatsache zu akzeptieren, hat diese Erkenntnis sicherlich ihre Vorteile. Der Entschluss, zu uns selbst zu finden, ist durchaus lohnenswert.

Zunächst sind wir mit der Trennung völlig überfordert. Wir haben das Gefühl, in einem Meer von Emotionen zu ertrinken. Von Kummer und Zukunftsangst überwältigt sind wir der Überzeugung, niemals den Weg aus dem Tal der Verzweiflung zu finden. Und es ist schwer daran zu glauben, dass wir es aus eigener Kraft schaffen können. Eine so einfache Sache wie das Wissen um die Dinge, die mit uns vorgehen, kann uns den Weg ebnen. Sobald wir uns darüber im Klaren sind, dass es sich bei unseren Gefühlen um eine völlig normale Reaktion handelt und sie ein natürlicher Bestandteil einer Trennung sind, wissen wir, dass es auch einen Ausweg gibt.

Dieses Buch ist ein Reiseführer durch den Irrgarten der Gefühle, den jeder Betroffene zu durchqueren hat. Es soll weder die Tatsachen unter den Teppich kehren noch soll es den Betroffenen vorgaukeln, dass es sich hierbei um einen leichten Weg handelt. Nur wenn wir uns über das Ausmaß der Auswirkungen im Klaren sind, können wir auch damit umgehen. Je ehrlicher wir uns selbst und unseren Mitmenschen eingestehen, was wir empfinden, desto eher und besser kann ein Heilungsprozess stattfinden. Nur dann können wir uns selbst heilen und einen neuen Anfang wagen.

1

Passiert das wirklich mir?

Ich konnte einfach nicht glauben, dass man sich so schlecht fühlen kann und nicht ins Krankenhaus muss. Lange Zeit fühlte ich mich körperlich und seelisch krank. Ich hatte einen regelrechten Schock. Ich konnte nicht schlafen. Ich konnte nicht essen. Ich war unfähig irgendetwas zu tun. Ich konnte nichts anderes tun als über das nachzudenken, was passiert war. Es war zum Verrücktwerden.

Caroline, 41, geschieden

Caroline ist eine der Betroffenen, die ich für dieses Buch interviewt habe. Sie berichtet über die Trennung von ihrem Mann nach 20 Jahren Ehe. Ihre Worte spiegeln die Gefühle einer Vielzahl anderer Betroffener wider.

Eine angenehme Scheidung bzw. Trennung gibt es nicht. Der Verlust eines Partners ist eine zutiefst erschütternde Erfahrung, mit der wir lernen müssen zurechtzukommen. Bevor wir jedoch lernen können mit einer Trennung umzugehen, müssen wir zunächst die Tatsache akzeptieren, dass wir unseren Partner verloren haben: Die Auswirkungen, die der Verlust eines Partners auf unser Leben hat, dürfen in keinem Fall unterschätzt werden. Bis zum Zeitpunkt der Trennung spielt die Partnerschaft eine äußerst bedeutende Rolle für unser normales Leben sowie für unsere Zukunftsperspektiven.

Hätten wir uns träumen lassen, dass eine Beziehung, in die wir so viele unserer Träume, Zeit und den Großteil unserer Hoffnungen für die Zukunft investiert haben, auf diese Weise enden würde? Wenn es uns passiert, erleben wir die Trennung wie etwas völlig Irreales. Wir können gar nicht anders als uns zu fragen: „Passiert das wirklich mir?" Wir erleben einen physischen Schock, der durch äußere Umstände entsteht und nach und nach Besitz von unserer ganzen Persönlichkeit ergreift. Die Folgen sind so vielfältig, dass wir sie unmöglich alle begreifen können. Daher rührt unser Gefühl, dass es sich hierbei unmöglich um die Realität handeln könne. Durch eine Trennung werden wir sehr verletzlich.

Zunächst neigen wir zu der Auffassung, dass wir unsere Beziehung ernster nehmen als andere Paare. Andere Menschen, die sich getrennt haben, scheinen einige Monate zu brauchen, bis sie sich von dem Schlag erholt haben, und kommen dann hervorragend mit ihrer neuen Situation zurecht. Wenn Trennungen nichts weiter sind als ein natürlicher Bestandteil des modernen Lebens, warum können wir damit nicht umgehen wie moderne Menschen mit modernen Lösungen? In unserer Gesellschaft beläuft sich die Zahl der Scheidungen auf mehrere Millionen. In einigen Ländern wird sogar jede zweite Ehe geschieden. Sollten wir uns nicht längst an dieses Phänomen gewöhnt haben?

Auf all diese Fragen gibt es eine einfache Antwort: Nein. Eine Trennung ist eine äußerst individuelle Erfahrung, auf die jeder Mensch mit anderen und unterschiedlich intensiven Gefühlen reagiert. Die Betroffenen fallen oftmals in ein tiefes Loch der Verzweiflung. Sie zweifeln daran, aus eigenem Antrieb einen Ausweg finden zu können. Andererseits kann eine Trennung der Grundstein für radikale und durchaus positive Veränderungen im Leben und der Persönlichkeit der Betroffen sein. Eine Trennung hat zuweilen bemerkenswerte Auswirkungen auf das Selbstbild, die Fähigkeit Beziehungen einzugehen, das Selbstbewusstsein, persönliche Ideale und nicht zuletzt auf den Wunsch zur Selbstverwirklichung. Diese Aspekte der Trennung sollten Sie keinesfalls unterschätzen, weder auf kurze noch auf lange Sicht.

Die ersten Tage, Wochen oder sogar Monate nach einer Trennung gehen oft mit einem Gefühl der Benommenheit oder auch der Betäubung einher. Viele Menschen werden in dieser Phase von ihrem Kummer regelrecht übermannt. Bevor ich näher auf diesen Punkt eingehe, möchte ich für all diejenigen, die erst kürzlich eine Trennung durchlebt haben, noch einmal betonen, dass es sich bei diesen Gefühlen um einen vorübergehenden Zustand handelt. Auch Sie werden sich von dem Schlag erholen. Das ist zwar schwer zu glauben, wenn Sie sich gerade in den ersten Wehen der schlimmsten und dunkelsten Phase befinden. Aber glauben Sie mir, auch Sie werden sich erholen!

Die großen Erwartungen an eine Partnerschaft

Wenn Trennungen im heutigen Leben doch etwas völlig Normales sind, eine so genannte Gesellschaftsnorm, warum erschüttert uns eine Trennung dann so? Hierfür gibt es unzählige Gründe, die alle zu erläutern den Rahmen dieses Buchs sprengen würde.

Bei unserer Hochzeit hegen wir große Erwartungen an unsere Ehe. Obwohl die meisten von uns sich mehr oder weniger der steigenden Scheidungsraten bewusst sind, sind wir dennoch von der Unantastbarkeit unserer eigenen Ehe überzeugt. Andere Ehen mögen scheitern, unsere nicht. Auch wenn wir uns rational dessen bewusst sind, dass auch unsere Partnerschaft scheitern kann; glauben wir tief im Innersten immer noch an das Trugbild der idealen Ehe „… bis dass der Tod euch scheidet". Wir wollen uns gar nicht weiter damit auseinander setzen, was sich alles geändert hat, seitdem dieses Ehegelübde noch einen realistischen Wert darstellte.

Zunächst einmal hat sich im Lauf des letzten Jahrhunderts die Grundidee der Ehe gewandelt. Früher wurden Ehen aus rationalen und ökonomischen Gründen geschlossen. Heutzutage heiraten wir aus Liebe; wir wollen unser persönliches Glück vollkommen machen, unsere romantischen Ideale Realität werden lassen. Betrachten wir jetzt einmal die unterschiedlichen emotionalen Bedürfnisse von Männern und Frauen, besser noch die Bedürfnisse der einzelnen Individuen, so verlangen wir der Ehe einiges ab.

Darüber hinaus hat das Prinzip einer Ehe – „… bis dass der Tod euch scheidet" – heute eine völlig andere Bedeutung als noch vor 100 Jahren. Wir haben eine weitaus höhere Lebenserwartung als unsere Eltern, Großeltern oder andere Vorfahren. Ein einziger Mensch soll all unseren emotionalen Bedürfnissen entgegenkommen, und das auch noch über eine beträchtliche Zeitspanne hinweg. Und vergessen Sie nie: Kein Mensch stagniert in einer Ehe bzw. Partnerschaft in seiner Entwicklung. Im Lauf der Zeit verändert sich jeder von uns und im selben Maß, wie wir uns verändern, ändern sich häufig auch unsere Erwartungen an unseren Partner und unsere Beziehung. Wir können uns heute nicht einmal vorstellen, wie unsere persönlichen Bedürfnisse in zehn, zwölf oder gar 30 Jahren aussehen werden. Eine Ehe „… bis dass der Tod euch scheidet" vor dem Hintergrund der Erfüllung persönlicher Erwartungen, wie es heute die Regel ist, ist wirklich keine leicht zu bewältigende Aufgabe.

Wenn wir heiraten, haben wir große Erwartungen von ehelichem Glück. Wir gehen eine gegenseitige Verpflichtung ein und ob wir uns dessen nun bewusst sind oder nicht, unsere Partnerschaft wird mehr und mehr zum Dreh- und Angelpunkt für unsere weitere Entwicklung, für unsere Erfahrungen und die Bedeutung, die wir ihnen beimessen. Unsere Beziehung stellt den Kontext für unser weiteres Leben dar. Sie ist sogar in gewisser Weise der Sinn unseres Lebens. Unser gesellschaftliches Leben, unsere persönliche Entwicklung, unsere Ziele, unsere Überzeugungen, unsere Identität und sogar alltägliche Gewohnheiten werden durch unsere Beziehung bestimmt. Nur zu schnell vergessen wir, dass wir früher ein eigenständiges Leben geführt und uns dabei sogar wohl gefühlt haben. Jetzt sind wir „die bessere Hälfte" eines anderen Menschen und verstricken uns immer mehr in der irrigen Annahme, dass die Beziehung zu unserem Partner außerhalb von uns als ein eigenständiges Wesen existiert. Schließlich sind wir sogar der Überzeugung, ohne diese Beziehung nicht leben zu können. Die Ehe wird zum Ziel und Zweck unseres Daseins, ohne sie sind wir nichts.

Entspräche diese Überzeugung den Tatsachen, könnte die Beziehung als eigenständiger Organismus auch ohne uns existieren. Wie oft haben Sie selbst schon von „Ihrer Ehe" gesprochen, als handele es sich um ein Produkt, das Sie durch Ihre Unterschrift auf dem Standesamt bzw. Ihr Jawort in der Kirche hergestellt haben? Vielleicht sind Sie ja der Überzeugung, Ihre Ehe sei gescheitert, doch die Idee, Ihre Ehe sei ein eigenständiges Wesen, erscheint Ihnen absurd. Sie haben alles, was Sie haben, in dieses Produkt investiert und letztendlich hat es versagt. Aus diesem Grund haben Sie das Gefühl, *Sie* selbst hätten versagt. Sie haben alles gegeben, was Sie geben konnten, doch es hat nicht gereicht, um Ihre Ehe am Leben zu erhalten. Dieser Punkt ist von großer Bedeutung und im weiteren Verlauf dieses Buches werden wir noch näher auf ihn eingehen. Zunächst einmal ist es wichtig, dass Sie sich über die ersten Auswirkungen einer Trennung bewusst sind. Selbst diejenigen unter uns, die diese Gefühle unterdrücken und versuchen, die emotionalen Löcher notdürftig zu stopfen, müssen sich letztlich mit dem Verlust auseinander setzen.

William, ein 55-jähriger Beamter, ist inzwischen zum zweiten Mal geschieden. 1967 heiratete er im Alter von 21 Jahren seine erste Frau Lyn. Heute ist er der Meinung, dass diese Ehe sowohl für ihn als auch für seine damalige Frau in gewisser Weise eine „Flucht" aus der familiären Umgebung darstellte. Er sah seine Aufgabe darin, ein pflichtbewusster Ehemann zu sein, der seine Lohntüte nach Hause bringt und sich um seine Kinder kümmert. „Ich war der Überzeugung eine ganz normale Ehe zu führen. Ich war der Herr des Hauses, ging arbeiten, machte meinen Job, brachte das Geld nach Hause und sorgte dafür, dass es meiner Familie gut ging."

Williams Ehe verlief auch ohne größere Probleme. Nach neun Jahren stellte er jedoch fest, dass seine Frau eine Affäre mit einem anderen Mann hatte. Der Gedanke an eine Scheidung erschreckte ihn so sehr, dass er ihn sofort verwarf und beschloss, die Angelegenheit auszusitzen. In der Hoffnung, dass es sich nur um eine vorübergehende Affäre handelte, unternahm er über ein halbes Jahr lang gar nichts. Schließlich musste er der Tatsache ins Auge sehen, dass es sich keineswegs um eine kurzfristige Laune seiner Frau handelte. Die Ehe zerbrach und seine Frau zog zu dem anderen Mann. William konnte einfach nicht verstehen, warum ihm das passierte. Er hatte doch alles getan, was man von einem guten Ehemann erwartete.

„Es tat so weh. Ich hatte das Gefühl, alles, wofür ich gelebt hatte, all meine Hoffnungen und Träume seien verloren. Ich konnte mich nur immer wieder und wieder fragen ‚Warum?'. Ich habe eine streng katholische Erziehung genossen und aus diesem Grund war ich der Überzeugung, das wäre die einzige Chance in meinem Leben gewesen. Und diese Chance hatte ich vertan. Ich hatte also nicht nur meine Frau verloren, sondern auch mich selbst. Dazu kam meine Angst vor der Zukunft und die Sorge um meine Kinder. Was würde aus ihnen werden und wie sollte es mit mir weitergehen? Ich wollte einfach nur, dass der Schmerz nachlässt."

William sah nur eine Möglichkeit mit dem Schmerz umzugehen. Er stürzte sich in eine neue Beziehung mit einer Arbeitskollegin. Jacqueline als allein erziehende Mutter stellte für William die optimale Lösung dar. Sie und ihr kleiner Sohn brauchten dringend jemanden, der sich um sie kümmerte, und er konnte wieder in die Rolle des Partners und Vaters schlüpfen. Auf diese Weise konnte er seine Wunden verbinden. 1978 wurde er von Lyn geschieden und 1979 heiratete er Jacqueline. Sie bekamen zwei weitere Kinder. Mitte der 80er Jahre veränderte Jacqueline sich zusehends. Sie wurde selbstständiger und nach ungefähr neun Jahren Ehe erklärte sie William, dass sie ihn verlassen würde.

„Es war, als hätte mir jemand eins mit dem Hammer übergezogen. Der Schmerz wanderte von oben nach unten durch meinen gesamten Körper. Ich erinnere mich, dass ich oben auf der Treppe stand und mich völlig darauf konzentrieren musste, irgendwie oben zu bleiben. Ich empfand einen physischen Schmerz, der sich wie eine Welle von meinem Kopf bis zu den Füßen erstreckte. ‚Es ist schon wieder passiert. Was soll ich nur tun?' Ich war ein Familienmensch und ein anständiger Ehemann. Warum passierte mir das jetzt schon wieder?"

Je weiter eine Ehe sich entwickelt, desto abhängiger werden wir von dieser Ehe. Wir sind Teil dieser Partnerschaft und unwiderruflich darin verstrickt. Zu Beginn der Ehe haben wir unsere eigenen, ganz persönlichen Erwartungen sowohl an unseren Partner als auch an unsere Ehe. Jeder Mensch hat andere Vorstellungen und wir sind uns nicht einmal darüber im Klaren, inwieweit unser persönliches Glück von diesen Ansprüchen abhängt. Das wird uns erst dann schmerzlich bewusst, wenn sie nicht erfüllt werden. Unsere Ideale, Illusionen und das Bild, das wir uns von uns selbst machen, sind sehr stark auf die Beziehung, d.h. auf uns als Teil dieser Beziehung, fixiert. Was erwarte ich von meiner Ehe? Wenn ich dieses oder jenes dafür tue, kann ich verlangen, dass ich im Gegenzug etwas zurückerhalte. Ich muss mir darüber keine ernsthaften Gedanken machen. Denn solange ich verheiratet bin, ergibt sich der Rest von selbst.

Die emotionale Bombe

Wenn unsere Beziehung zerbricht, geraten wir in einen Schockzustand. Dieser Schock ist nichts weiter als Selbstschutz. Auf diese Weise müssen wir uns zunächst nicht mit der harten Realität unserer Situation auseinander setzen. Wir sind überfordert, die Situation, das Scheitern unserer Beziehung, zu erkennen, geschweige denn sie zu akzeptieren. Es spielt keine Rolle, ob Sie sich von Ihrem Partner getrennt haben oder ob Sie verlassen wurden, die Trennung hat einschneidende Auswirkungen auf Ihr Leben. Sie verlieren nicht nur einen Partner, sondern Sie müssen Ihren ganzen Lebensstil ändern.

Wenn wir mit unserem Partner gemeinsam ein Haus bauen, tun wir das unter der Voraussetzung, dass wir dort ein gemeinsames Leben führen werden. Wir „bauen" uns ein gemeinsames Leben auf. Jeder Tag ist ein weiterer Stein, einzementiert in das Konzept unseres gemeinsamen Lebens, gemeinsamer Erfahrungen und Zielen. Im Lauf der Zeit nimmt dieses Gebäude immer größere Ausmaße an: Kinder, neue Freunde und Beziehungen, Veränderungen des Lebensstils, gemeinsame Erlebnisse und Momente des Glücks werden hinzugefügt. Das Gebäude entsteht, weil beide Partner ihren wertvollsten Besitz in die Beziehung investieren: Zeit, Energie und Vertrauen in die Zukunft.

Ist es da verwunderlich, dass eine Trennung so tief greifende Auswirkungen auf die Beteiligten hat? Eine Trennung ist mehr als das Ende einer Beziehung. Ein solches Erlebnis erschüttert uns in den Grundfesten unseres Lebens, hinterlässt ein Gefühl der Sinnlosigkeit und zerstört unsere innerste Identität.

Caroline, eine 41-jährige Journalistin, war auch ein Jahr nach ihrer Scheidung noch völlig erschüttert. Sie lernte ihren Mann mit 16 Jahren kennen und heiratete mit 20. Ihr Mann Tom war bei der Hochzeit 23 und leitete ein Bauunternehmen.

„Es lief alles bestens. Unsere Ehe entwickelte sich vom ersten Tag an unglaublich gut. Ich hatte immer das Gefühl, wir wären sowohl die besten Freunde als auch gute Ehepartner. Dieses Gefühl hatte ich während unserer ganzen Ehe, bis zum endgültigen Bruch. Für unsere Umwelt waren wir das ideale Paar. ‚Tom und du, ihr führt so eine glückliche Ehe – ihr macht einfach alles zusammen', war die einhellige Meinung unserer Bekannten und Freunde", berichtet Caroline.

Tom, der schon als Kind seinen Vater verloren hatte, ging eine enge Beziehung mit Carolines Eltern ein. Caroline war Einzelkind und Tom wurde fast augenblicklich in ihre Familie integriert. Ihr Vater wurde mehr und mehr zu Toms Ersatzvater und betrachtete Tom als den Sohn, den er sich immer gewünscht hatte. Tom und Caroline ließen sich Zeit mit dem Kinderkriegen, bis sie 27 Jahre alt war. Die beiden führten ein völlig „unbeschwertes" Leben, wie Caroline es ausdrückte. Sie hatten einen großen Freundeskreis und sie genossen ein hohes gesellschaftliches Ansehen mit den entsprechenden Annehmlichkeiten und Verpflichtungen.

Die Bombe explodierte nach fast 20 Jahren Ehe und verwandelte ihr Leben in einen einzigen Trümmerhaufen. Die Ehe wurde 1995 begleitet von weiteren familiären Schwierigkeiten geschieden. Tom hatte mittlerweile mit seinem Unternehmen Konkurs anmelden müssen. Caroline und Tom hatten zu diesem Zeitpunkt schon zwei Kinder, die 13-jährige Rosie und die neunjährige Andrea. Die Ehe und die Familie steckten sowohl in finanzieller als auch in emotionaler Hinsicht in einer schweren Krise. Caroline hatte inzwischen einen Vollzeitjob angenommen und blickte trotz aller Probleme wieder optimistisch in die Zukunft. Sie hatte das Gefühl, dass die Dinge sich letztlich doch noch zum Guten wendeten. Sie betrachtete dies als den richtigen Zeitpunkt für ein klärendes Gespräch mit ihrem Mann. Sie würden gemeinsam ihre Aufgaben in der neuen Situation festlegen sowie die weitere Zukunft ihrer Ehe besprechen.

Voller Enthusiasmus und bereit, einen neuen Anfang zu wagen, schnitt sie eines Tages, nachdem sie beide von der

Arbeit zurückgekehrt waren, das Thema an. Tom wollte nicht über die Zukunft sprechen. Caroline fragte ihn nach dem Grund und seine Antwort lautete: „Kannst du dir das nicht denken? Ich will die Scheidung." Caroline weigerte sich, die Situation zu akzeptieren. „Die wahre Bedeutung seiner Worte dämmerte mir nur ganz allmählich. Ich fühlte mich regelrecht krank. Einfach schrecklich. Das konnte unmöglich mir passieren. Ich fühlte mich wie auf einem anderen Planeten. Ich konnte es einfach nicht glauben. Ich dachte, mein ganzes Leben sei vorüber. Ich hatte alles verloren. Ich wusste, dass ich immer noch die Kinder hatte. Doch wenn du erst einmal so weit unten bist, bist du einfach nicht in der Lage, dir die positiven Dinge vor Augen zu führen. Ich konnte nur einen einzigen Gedanken fassen: Das war's. Du hast alles verloren."

In der folgenden Woche kämpfte Caroline mit allen Mitteln um ihre Ehe. Tom war jedoch konsequent. „Ich habe ihn angefleht. Egal, was Tom auch sagte, um mich vom Gegenteil zu überzeugen; ich wollte, dass er bei mir blieb. Ich konnte den Gedanken, er würde mich verlassen, einfach nicht ertragen. Ich war völlig verzweifelt und hätte alles getan, nur damit er bei mir bleibt. Hätte er gesagt: ‚Wenn du willst, dass ich bleibe, geh auf die Straße und wirf dich vor ein Auto', ich hätte es getan. Ich hätte wirklich alles dafür getan."

Rückblickend ist Caroline sich der Aussichtslosigkeit ihres Kampfes durchaus bewusst. Sie war zum Äußersten entschlossen; schließlich stand nicht nur ihre Ehe, sondern ihr ganzes Leben auf dem Spiel. Seit ihrem 16. Lebensjahr hatte sie über einen Zeitraum von mehr als 25 Jahren all ihre Energie, ihre Zeit und ihre Persönlichkeit in diese Beziehung investiert, die sich inzwischen zu einem eigenständigen Organismus entwickelt hatte. Ein Organismus, von dem sowohl Carolines Gefühl der Geborgenheit als auch ihr Wohlbefinden abhingen. Die Ehe verfügte über ein feines und komplexes Netzwerk aus Nervenenden, das ihr tägliches Bewusstsein ausmachte. Sie war das Ergebnis einer Synergie zwischen Tom und Caroline: Ehe, Familie, Freunde, gemeinsam durchlebte Höhen und Tiefen und letztendlich auch die Kinder. Sie hatte Vertrauen in die Zukunft ihrer Beziehung. Die Erkenntnis, dass ihre Ehe so instabil war und an einem einzigen Abend durch einen gezielten Schlag zerbrechen konnte, war ein Schock für sie. Auch wenn viele Dinge, die schließlich zur Trennung führten, sich über Jahre entwickelt hatten, so erlebte sie das Ende als einen unvorhergesehenen Tod. Für Caroline war es ein echter Trauerfall.

Eine Trennung: schlimmer als ein Trauerfall

Wenn jemand stirbt, den wir lieben, können wir uns in den meisten Fällen zumindest sicher sein, dass er uns nicht aus freiem Willen verlassen hat. Dieses Wissen birgt in gewisser Hinsicht einen Trost. Wenn Ihr Partner Sie verlässt, wird von Ihnen erwartet, dass Sie damit ohne große Schwierigkeiten fertig werden. Die meisten Menschen sind der Überzeugung, Verlassenwerden sei weniger schlimm als den Partner durch einen Todesfall zu verlieren. Wenn Sie auch noch derjenige sind, der die Trennung herbeiführt, gesteht Ihnen niemand Verlustgefühle zu. Schließlich war es ja Ihre eigene Entscheidung.

Diese weit verbreitete Meinung hat mit der Realität wenig gemeinsam. Wenn eine Beziehung zerbricht, wird das von den „Hinterbliebenen" oftmals als weitaus schmerzhafter empfunden als ein wirklicher Trauerfall. Bei einem

Todesfall stehen uns kulturelle Rituale zur Verfügung, um mit dem Verlust umzugehen. Es gibt eine Leiche, einen Sarg und einen Trauergottesdienst. Bei einer Trennung hingegen gibt es nichts, das uns bei der Schmerzbewältigung hilft und das Verlorene symbolisiert. Es gibt keinen Sarg oder Ähnliches, vor dem wir niederknien können. Kein Gottesdienst, kein Ritual, keine Gebete, die uns helfen loszulassen und unseren Schock irgendwie zu verarbeiten. Keine Zeremonie, die als Puffer für unseren Schmerz dienen könnte. Bei einer Trennung stirbt nichts Materielles – vielleicht ein Traum, in jedem Fall eine Beziehung. Wir tragen etwas nicht Fassbares zu Grabe, etwas ehemals Lebendiges, das unser Leben all die Zeit, als wir Teil eines Paares waren, bestimmt hat. Da wir in diesem Fall keine Leiche vorzuweisen haben, wird von uns erwartet, dass wir die Situation meistern.

Bei einer Trennung ist das Loslassen jedoch um einiges schwieriger als bei einem Trauerfall. Unser ehemaliger Partner ist schließlich noch quicklebendig. Jedesmal wenn wir ihn oder sie sehen, erleben wir den Schmerz aufs Neue. Ist der Partner gestorben, haben wir immer noch den Tod, ein Ereignis, das wir in keiner Weise beeinflussen können. Der Tod lässt sich ohne weiteres als „Entschuldigung" für unsere überwältigenden Gefühle und die Trauer um unseren Verlust anführen. Wenn eine Partnerschaft zerbricht, suchen wir nach einem Schuldigen. Irgendwer bzw. irgendetwas muss schließlich schuld daran sein. Wir haben keine Entschuldigung für unsere Gefühle. Aus diesem Grund suchen wir nach einem Verantwortlichen. Dies führt unweigerlich dazu, dass wir entweder unserem Expartner oder gar uns selbst Vorwürfe machen. Wir benötigen ein Ventil für unsere Verlustgefühle.

Normale Gefühlsreaktionen

Menschen, die eine Trennung intensiv erleben, haben oft die Befürchtung, weder ihre Gefühle noch die Dauer ihres Trennungsschmerzes seien normal. Was ist in diesem Fall denn überhaupt normal? Die einfache, wenn auch frustrierende Antwort lautet: alles, was Sie fühlen. Vielleicht erleben Sie ein emotionales Hoch, weil Sie eine miserable Ehe hinter sich lassen können, nur um sich im nächsten Augenblick mit ernsthaften Selbstmordgedanken zu beschäftigen, da Sie die Trennung als einen großen Verlust oder gar als Ihr Versagen betrachten.

Die emotionale Reaktion beginnt zumeist mit einem Schock und mündet übergangslos in Zukunftsangst und Depressionen. Doch was bedeutet Schock, was bedeutet Zukunftsangst oder Depression? Uns sind diese Begriffe sehr wohl bekannt. Doch handelt es sich hierbei im Zeitalter der Psychoanalyse um nichts weiter als abgedroschene Worthülsen ohne tiefere Bedeutung.

Für die Betroffenen sind diese Reaktionen jedoch durchaus real und werden äußerst intensiv erlebt. Durch eine genauere Definition dieser Begriffe ist der Umgang mit den dahinter steckenden Gefühlen um einiges leichter. Nachfolgend finden Sie einen Überblick über die am häufigsten auftretenden physischen und psychischen Reaktionen:

- Schock: Verwirrung; Konzentrationsstörungen; Probleme, sich auf alltägliche Aufgaben zu konzentrieren
- Wut: Erschöpfungszustände wechseln sich mit maßloser Wut und Vorwürfen gegen Ihren Partner bzw. Wut gegen sich selbst in Form von Selbstvorwürfen ab

- Angst: Sorgen; Zukunftsangst; das Gefühl, die Kontrolle über das eigene Leben zu verlieren
- Depression: Müdigkeit und Lethargie; tiefe Trauer; die Betroffenen empfinden das Leben als sinnlos
- Isolation: Rückzug aus dem sozialen Leben, Müdigkeit, Verzweiflung
- Selbstzweifel: Mangelndes Selbstwertgefühl, das zu geringer Selbstachtung und einem Gefühl eigener Unzulänglichkeit führt
- Überaktivität: Die erlebte Wut führt zu einem übersteigerten Aktivitätsdrang, um so die eigenen Gefühle abzublocken
- Insomnie: Schlaflosigkeit

Erste Schritte zur Akzeptanz

Nach einer Trennung versuchen wir zunächst zu verstehen, was eigentlich passiert ist. Warum ist das passiert? Warum ist das ausgerechnet mir passiert? Es gibt so viele Fragen. Am Anfang sind Sie regelrecht orientierungslos und sollten die oberste Priorität dahingehend setzen, Ihren Alltag auf den kleinsten gemeinsamen Nenner zu reduzieren.

Werden Sie sich zunächst darüber klar, welche Ihrer emotionalen Bedürfnisse Sie kurzfristig unbedingt befriedigen müssen, um zu überleben.

Wenn Sie dazu in der Lage sind, werden Sie das Geschehene nach und nach begreifen. Irgendwann werden Sie erkennen, dass Sie in gewisser Weise ein Opfer sind. Ein Opfer der kulturellen und sozialen Erwartungen an die Ehe. Seien Sie nett zu sich selbst und erkennen Sie Ihre Gefühle an: „Was ich fühle und die Intensität meiner

Gefühle sind völlig normal und in Ordnung." Wenn Sie Ihre Gefühle als richtig akzeptiert haben, werden Sie erkennen, dass Sie soeben den ersten Schritt aus dem Tal der Verzweiflung gemacht haben. Jetzt können Sie den emotionalen Scherbenhaufen sichten und nach dem tieferen Sinn des Ganzen suchen.

In diesem Stadium sollten Sie sich unbedingt „Wegweiser" setzen. Diese Wegweiser helfen Ihnen, Ihre Erfahrungen zu verstehen und mit ihnen umzugehen. Erkennen Sie Ihre Gefühle an. Wenn Sie sich verwirrt fühlen, akzeptieren Sie die Verwirrung. Wenn Sie sich verzweifelt fühlen, akzeptieren Sie die Verzweiflung. Wenn Sie Angst haben, akzeptieren Sie, dass es sich hierbei um eine völlig normale Reaktion auf Ihre Situation handelt. Erkennen Sie Ihre Gefühle als einen notwendigen Bestandteil des Trennungsprozesses an. Denken Sie vor allem daran, dass es sich um einen Prozess handelt. Prozess bedeutet Veränderung, d.h., Sie werden zwangsläufig ein anderes Stadium dieses Prozesses erreichen. Denken Sie immer daran, dass es vorübergeht.

Suchen Sie Unterstützung. Schämen Sie sich nicht, Ihre Freunde oder Ihre Familie um Hilfe zu bitten. Suchen Sie die Gesellschaft von Menschen, die Sie mögen. Verbringen Sie Zeit mit ihnen und sprechen Sie über Ihre Gefühle. Auch wenn viele Menschen einer Therapie skeptisch gegenüber stehen – „Wenn ich psychologische Beratung brauche, muss mit mir wirklich was nicht stimmen!" –, ist sie eine durchaus sinnvolle Möglichkeit. Wenn Sie andere Probleme haben, z.B. Zahnschmerzen oder sonstige gesundheitliche Probleme, unternehmen Sie ja auch das einzig Vernünftige und suchen einen Spezialisten auf. Dasselbe gilt für die wahrscheinlich schwierigste und schmerzlichste Erfahrung, die ein Mensch erleben kann:

das Zerbrechen einer Partnerschaft. Das Einzige, was zählt, sind Ihre Gefühle und wie Sie damit umgehen!

Werden Sie sich Ihrer Bedürfnisse bewusst und sorgen Sie dafür, dass Sie bekommen, was Sie brauchen. Dann ist es um einiges leichter, das Geschehene zu verarbeiten.

2

Wenn Sie verlassen werden

Als sie mich verließ, fragte ich mich: „Was habe ich nur falsch gemacht?" Wäre ich ein Schürzenjäger gewesen, hätte ich das Geld für die Hypothek in der Kneipe durchgebracht oder verspielt, dann wäre mir klar gewesen: „Ok, ich hab's vermasselt." Es war so unendlich frustrierend. Ich wusste einfach nicht, wer oder was schuld an der Trennung war. Ich konnte einfach nicht sagen, dass ich aus diesem oder jenem Grund versagt hatte.

Hugh, 38, geschieden

Wie bei jedem Ereignis gibt es auch bei einer Trennung immer zwei Seiten. Die eine Seite ist der Partner, der geht, und die andere Seite ist der Verlassene. Obwohl die Trennung in manchen Fällen das Ergebnis einer gemeinsamen Entscheidung ist, wird dieser Entschluss in der Regel von nur einem der Partner getroffen. Aus diesem Grund gibt es immer zwei völlig verschiedene Perspektiven von ein und derselben gemeinsamen Erfahrung. Beide Beteiligte zeigen sicherlich teilweise dieselben emotionalen Reaktionen auf die Trennung. Beide haben jedoch eine völlig unterschiedliche Wahrnehmung von demselben Ereignis.

Wir wollen uns zunächst die eine Seite der Medaille genauer betrachten. Ihr Partner hat beschlossen, die Beziehung zu beenden. Er oder sie hat Sie verlassen und der Boden tut sich unter Ihren Füßen auf.

Im vorigen Kapitel habe ich schon die Erfahrungen anderer Menschen in dieser Situation geschildert. Die Trennung als solche war immer mit einem Gefühl der Unwirklichkeit verbunden. Die Betroffenen waren nicht in
der Lage, das Erlebte zu akzeptieren. Als Verlassener hat
man häufig das Gefühl, die Situation aus einem anderen
Blickwinkel zu betrachten; man empfindet sich selbst als
Außenstehenden. Im vorherigen Kapitel haben Sie erfahren, wie Caroline und William mit dem Scheitern Ihrer Beziehung umgegangen sind. Caroline, die ihren Mann unbedingt halten wollte und darauf hoffte, die Beziehung irgendwie zu retten, und William, der die Hoffnung nicht
aufgeben wollte, dass es sich bei der Affäre seiner Frau
um eine vorübergehende Angelegenheit handelte und sie
danach wieder zur Tagesordnung übergehen könnten.
Letztendlich wurden sie jedoch beide von ihren Partnern
verlassen. Beide hatten das Gefühl versagt zu haben. Sie
beide sahen das, für das sie viele Jahre ihre Energie auf-
gewandt hatten und was einmal ihre Ehe gewesen war,
vor ihren Augen zusammenbrechen. Sowohl Caroline als
auch William erlitten einen Schock. Sie waren völlig am
Boden zerstört und empfanden die Trennung als einen
großen Verlust. Sie waren nicht in der Lage, irgendetwas
gegen diese Gefühle zu unternehmen. Beide waren Opfer,
und die Trennung von ihren Partnern hatte ein klaffendes
Loch in beider Leben hinterlassen. Beide fragten sich:
„Was habe ich bloß falsch gemacht?" Nach dem Schock
folgt der Versuch, sich irgendwie mit der Situation zu arrangieren und darin irgendeinen Sinn zu erkennen. Wir
fragen uns: „Warum ist das passiert?" Wir suchen nach
Erklärungen für unseren Schmerz und unsere Bestürzung, ganz egal, wie unrealistisch sie auch sein mögen.

Caroline berichtet, dass sie nach der Trennung von

ihrem Mann ungefähr sechs Monate lang einfach „durchhing". In dieser Zeit hat sie sich verzweifelt an die sinnlose Hoffnung geklammert, dass er vielleicht doch wieder zu ihr zurückkehren würde. Bei dem Versuch, seine Gefühle zu verdrängen und sein lädiertes Selbstbewusstsein wieder aufzumöbeln, stürzte William sich direkt in eine neue Beziehung. „Wenn ich eine neue Frau finde, die auch noch attraktiver ist als meine erste, umso besser. Und ich habe eine gefunden", erklärt William.

Trotzdem mussten beide sich den Nachwirkungen, ihren emotionalen Reaktionen auf die Tatsache, dass ihre Partner sie verlassen hatten, stellen. Früher oder später müssen wir den Tatsachen ins Auge sehen. Sowohl William als auch Caroline haben diese Aufgabe, wie so viele andere auch, äußerst erfolgreich bewältigt.

Die Nachwirkungen der Trennung

Die meisten von Ihnen haben irgendwann einmal im Fernsehen gesehen, was bei der Explosion einer Atombombe geschieht. Nach dem Einschlag steigt eine schwarze pilzförmige Wolke in den Himmel auf, die sich in rasender Geschwindigkeit ausbreitet. Wir wissen, dass die Wolke sich aus Partikeln zusammensetzt, die beim Aufprall der Bombe auf die Erdoberfläche hochgewirbelt werden. Die vielfachen Auswirkungen, die eine solche Bombe auf die Umwelt hat, können wir nur schwer begreifen.

Die Explosion einer Atombombe lässt sich mit den verheerenden Auswirkungen auf unser Gefühlsleben vergleichen, wenn unser Partner uns verlässt. Zunächst erleben wir einen Schock. Durch diesen Schock werden gewaltige

Emotionen und Gedankengänge freigesetzt, die ähnlich dem Atompilz enorme Ausmaße annehmen. Die Auswirkungen sind zu komplex, als dass wir sie begreifen könnten. Die Situation gerät völlig außer Kontrolle.

Was geht in uns vor, wenn unser Partner sich von uns trennen möchte? Zunächst einmal wollen wir uns eingehend mit einigen der Emotionen auseinander setzen, die auf den ersten Trennungsschock folgen. Vielleicht kennen Sie einige der folgenden Reaktionen aus eigener Erfahrung: das Gefühl der Verlassenheit, Verzweiflung, Panik, Angst, Hilflosigkeit, Wut (gegen uns selbst oder auch gegenüber unserem Partner), Schmerz, das Gefühl zurückgewiesen worden zu sein, Enttäuschung, Fassungslosigkeit, Verlust des Selbstwertgefühls und nicht zuletzt das Gefühl versagt zu haben.

Wenn man die Spanne der möglichen emotionalen Reaktionen betrachtet, ist es nicht weiter verwunderlich, dass Gedanken an Selbstmord durchaus keine Seltenheit sind. Der größte Teil der Personen, die für dieses Buch über ihre Erfahrungen berichtet haben, gaben an, dass auch sie sich mit solchen Gedanken trugen. Einige von ihnen setzten sogar die Idee in die Tat um. Selbstmord erschien ihnen an einem gewissen Punkt als der einzige Ausweg. Heute sind sie sich natürlich darüber im Klaren, dass das nicht die Lösung ist. Es gibt andere Wege aus der Dunkelheit. Wenn Ihre Verzweiflung so groß ist, dass Sie ernsthaft darüber nachdenken, sich das Leben zu nehmen, müssen Sie sich schleunigst um Hilfe bemühen. Es gibt Menschen, an die Sie sich in diesem Fall jederzeit wenden können. Niemand verlangt von Ihnen, dass Sie von heute auf morgen aufhören ihren Partner zu lieben. Der Verlust eines Partners und eines gemeinsamen Lebens ist so, als würden Sie eines Teils Ihres Selbst beraubt.

Sie brauchen Zeit und den festen Willen diese Wunde zu heilen.

Das Selbstwertgefühl: Opfer der Trennung

Wenn der Partner geht, hat dies zunächst den Verlust des eigenen Selbstwertgefühls zur Folge. Dieser Verlust geht so tief wie er weitreichende Auswirkungen für die Betroffenen hat. Diese beginnen im Innersten des Menschen und erstrecken sich auf dessen Umwelt, die Familie und das soziale Umfeld, von dort prallen sie in veränderter Form wieder auf die Betroffenen zurück. Sie müssen lernen damit umzugehen. Die Auswirkungen eines fehlenden Selbstwertgefühls, die durchaus die Dimension eines sozialen Stigmas annehmen können, werden in einem der folgenden Kapitel ausführlicher behandelt. Hier wollen wir zunächst einmal näher auf den Verlust des Selbstwertgefühls als Folge des Verlassenwerdens eingehen.

Männer und Frauen behandeln dieses Problem in unterschiedlicher Weise. Die Ursache hierfür liegt in den unterschiedlichen Bedürfnissen der Geschlechter nach Bestätigung ihres Selbstwertgefühls. Auch die verschiedenen Altersgruppen haben unterschiedliche Ansprüche. Geschiedene Paare in den Dreißigern, die in den meisten Fällen beruflich erfolgreich sind, haben andere Bedürfnisse als Menschen, die mit 40, 50 oder 60 Jahren eine Trennung durchmachen.

Für Frauen um die 40 oder älter hat diese Erfahrung weitreichendere und in den meisten Fällen um einiges verheerendere Auswirkungen als für ihre jüngeren Geschlechtsgenossinnen. Viele dieser Frauen haben das Gefühl, „die besten Jahre ihres Lebens" für die Ehe geopfert zu haben. Wenn sie zu diesem Zeitpunkt von ihrem Partner verlassen werden, fühlen sie sich fallen gelassen, unattraktiv und minderwertig – ihr „Verfallsdatum" ist abgelaufen. Die Vielzahl dieser Frauen hat ihre Karriere sowie ihre persönliche Entfaltung zugunsten der Rolle von Hausfrau und Mutter aufgegeben. All die Jahre haben sie den Haushalt geführt und ihre Männer emotional unterstützt, während diese an ihrer beruflichen Karriere gebastelt haben. Diese Unterstützung war ihre Investition in die Ehe. Über einen Zeitraum von 10, 20, 30 oder mehr Ehejahren ist das eine beträchtliche Investition. Hinzu kommt, dass diese Frauen selten eine berufliche Ausbildung haben und über keinerlei Berufspraxis verfügen, um nach der Trennung finanziell für sich und die Kinder sorgen zu können.

Ist es unter diesen Umständen verwunderlich, dass diese Frauen weder ihren Wert für sich selbst noch für die Gesellschaft erkennen? Die Tatsache, dass ihr Mann sie verlassen hat, bedeutet nichts anderes, als dass sie ihrem all die Jahre über geltenden Standard für ihr Selbstwertgefühl nicht mehr gerecht werden. Direkt nach der Trennung haben diese Frauen keine anderen Maßstäbe, an denen sie sich orientieren könnten. Verlässt uns unser Partner, fühlen wir uns im ersten Moment zurückgewiesen und minderwertig. Zunächst einmal müssen wir neue Parameter bestimmen, an denen wir unseren Selbstwert messen können. Wir müssen unser Konzept der „guten Ehefrau und Mutter" bzw. des „guten Ehemanns und Versorgers" über Bord werfen. Dann können wir uns aufmachen und einen völlig neuen Weg beschreiten. Am Anfang dieses Wegs müssen wir uns darüber klar werden, wer wir wirklich sind und was wir von der Zukunft erwarten. Eine Ehe ist nicht der einzige psychologische Rahmen, an dem wir unseren Selbstwert festmachen können. Wir müssen nur lernen, wie die anderen Möglichkeiten aussehen und wie sie funktionieren.

Die Männer mittleren Alters müssen lernen, sich nicht mehr „an den Partner zu hängen" bzw. ein eigenständiges Leben zu führen. Diese Generation empfindet das Verlassenwerden als besonders große Schande. Dieser Prozess ist äußerst aufreibend und verwirrend, und die Betroffenen suchen verzweifelt nach einer sofortigen Lösung. Natürlich reagieren nicht alle Männer auf dieselbe Weise, doch sie haben in den meisten Fällen große Schwierigkeiten, ihre Gefühle zu benennen bzw. darüber zu sprechen. In den seltensten Fällen erhalten sie die notwendige Unterstützung durch ebenso Betroffene, und setzen sich in dieser Situation selbst stark unter Druck. Sie sind einfach nicht fähig, sich selbst oder ihrer Umwelt ihre Gefühle bzw. ihre Schwäche einzugestehen. Sie reißen sich zusammen und machen gute Miene zum bösen Spiel. Auf diese Weise halten sie das Image des „starken Mannes" und somit ihr Selbstwertgefühl mit aller Macht aufrecht.

Als William von seiner zweiten Frau verlassen wurde, griff er auf sein bewährtes Heilmittel zurück und hielt nach einer neuen Partnerin Ausschau. Er stammt aus Schottland, einer regelrechten „Macho-Hochburg". Aus diesem Grund wollte er seiner Umwelt keine Schwäche zeigen. Wenn er nur möglichst schnell eine neue Frau vorweisen konnte, wäre seine Umwelt davon überzeugt, dass ihm die Trennung nichts ausmachte.

„Ich war sehr verzweifelt. Heute weiß ich, dass meine größte Angst dem Verlust meiner Selbstachtung galt. Immer weiter, so als hätte ich ein eingebautes Radar. Sobald ich irgendwo Absätze klappern hörte, drehte ich mich automatisch um und dachte: ‚Da ist wieder eine … Gut sieht

sie aus.' Ich war auf der Suche nach einem ‚Aspirin'. Ehe
ich mich versah, steckte ich wieder in einer Beziehung.
Rückblickend bin ich mir bewusst, dass ich lediglich jemanden vorweisen wollte. Alle sollten sehen, wie gut es
mir ging. Das ging so weit, dass ich jeglichen Sinn für
mein Selbstwertgefühl verlor."

Dieses Mal verfehlte das Aspirin jedoch seine Wirkung.
Die Löcher ließen sich nicht länger stopfen. Das, was dann
geschah, beschreibt William als einen emotionalen
Dammbruch, das Abbröckeln einer psychischen Mauer.
Letztendlich war dies jedoch der erste Schritt zur Selbstfindung. William entdeckte endlich seinen Selbstwert
wieder.

Das Ende von kürzeren Partnerschaften

Das Scheitern einer kurzen Ehe von weniger als fünf Jahren Dauer impliziert nicht zwangsläufig, dass die Trennung weniger schwerwiegende Auswirkungen auf unser
Selbstwertgefühl hat. Wir erleben ein intensives Gefühl
des Versagens. Wir können nicht glauben, dass es schon
vorbei sein soll, und fragen uns: „Was, nach so kurzer
Zeit? Bin ich schuld daran, dass er bzw. sie es nicht länger
mit mir ausgehalten hat? Du hast ein Versprechen fürs Leben gegeben und hast es nur bis hierher geschafft. Du hast
deinen Partner nicht einmal so lange halten können, um
mit ihm gemeinsam die ersten Schritte der Kinder bzw.
ihren ersten Schultag zu erleben."

Diese Gedanken kommen bei jeder Trennung auf, egal
wie lange die Beziehung angedauert hat. Sie sind Teil unserer schmerzhaften Versuche der Schuldzuweisung. Unabhängig von der Dauer der Beziehung: Am Anfang wa-

ren Sie der festen Überzeugung, ein Traum würde Wirklichkeit.

Hugh, ein 38-jähriger Bautechniker, ist ein gutes Beispiel. Er und seine Frau Annie lernten sich 1986 kennen, als sie im Auftrag ihrer Firma für einige Zeit in Hughs Firma tätig war. Sie gingen gemeinsam mit den anderen Kollegen essen und kamen sich so näher. Nachdem Annies Zeitvertrag abgelaufen war und sie die Firma verlassen hatte, trafen sie sich auch privat. Schließlich zogen sie zusammen und führten eine glückliche und intensive Beziehung. „Ich war fest davon überzeugt: Das ist die Richtige!", erinnert sich Hugh.

Nachdem sie zwei Jahre zusammengelebt hatten, schmiedeten sie Hochzeitspläne. „Wir hatten uns weder verlobt noch ein Heiratsversprechen gegeben. Eine Hochzeit war für uns ganz einfach die logische Schlussfolgerung unserer Beziehung", sagte Hugh. Im September 1989 folgte eine kostspielige Traumhochzeit. Zu diesem Zeitpunkt waren sie beide 33 Jahre alt. Kurz nach der Hochzeit bekam Annie psychische Probleme und suchte einen Therapeuten auf. Hugh erfuhr, dass die Probleme seiner Frau ihren Ursprung größtenteils in ihrer Kindheit hatten. Ihre Mutter starb, als Annie 13 war, ihr Vater war Alkoholiker und misshandelte seine Tochter.

Hugh beschreibt sich als einen ruhigen und friedfertigen Menschen. Er brachte wirklich viel Geduld auf, doch Annie weigerte sich, mit ihm über ihre Therapie zu sprechen, und distanzierte sich immer mehr von ihm. Im Frühjahr 1990, nicht einmal ein Jahr nach ihrer Hochzeit, zog sie ohne weitere Erklärung aus dem gemeinsamen Schlafzimmer aus. Im Lauf der folgenden Monate weigerte sie sich, sich mit ihm auch nur im selben Raum aufzuhalten. Im Sommer zog sie schließlich aus dem gemeinsamen Haus aus. Sie nannte Hugh weder einen Grund noch ihre neue Adresse. Hugh fühlte sich wie ein schrecklicher Versager und stellte fest, dass er sich eine nicht zu bewältigende Aufgabe gestellt hatte. „Ich war davon überzeugt, ich könnte ihr helfen … Ich könnte ihr den Schmerz und das Leid ihrer Kindheit abnehmen. Ich hatte doch das Pflaster, mit dem sie die Wunde, die 30 Jahre Schmerz, Leid und Misstrauen gerissen hatten, versorgen konnte. Das war natürlich völlig unmöglich. Heute bin ich mir dessen bewusst. Mit einem ausreichenden Abstand von der Situation habe ich erkannt, dass ich keine Chance hatte. Mein Selbstbewusstsein wurde jedoch immer geringer. Annie zog im Juni oder Juli aus, glaube ich. Danach war ich völlig durcheinander. Jeder Tag war reinstes Überlebenstraining."

Unabhängig von der Dauer der Beziehung machen wir unser Selbstbewusstsein vom Schicksal unserer Ehe abhängig. Auf diese Weise entmündigen wir uns und geben unsere eigenen Kriterien zur Messung unseres Selbstbewusstseins auf. Sobald es in der Beziehung kriselt, sinkt unser Selbstwertgefühl. Indem wir unsere Ehe als Basis für unser Selbstwertgefühl verwenden, geben wir jede Eigenverantwortung für unser Selbstbewusstsein auf. Wir machen uns zum Opfer einer Sache, die außerhalb von uns selbst liegt – das Schicksal unserer Beziehung. Sobald wir wieder selbst die Verantwortung für unser Selbstwertgefühl und die Art und Weise, wie wir es bestimmen, übernehmen, tragen wir auch wieder die alleinige Verantwortung für uns selbst.

Kontrollverlust und Hilflosigkeit

Wenn unser Partner uns verlässt, geht nicht nur die Beziehung auseinander, sondern wir verlieren auch die Kontrolle über unsere Umwelt und fühlen uns ihr ausgeliefert. Wir sind ebenso Opfer des Schicksals wie die Menschen, die ihren Partner durch einen tragischen Unfall verloren haben. Wir haben diesen Verlust erlitten. Wir fühlen uns hilflos und ausgelaugt. Und wieder taucht die Frage auf: „Warum?" Das Gefühl, die Kontrolle zu verlieren und einer Situation hilflos ausgeliefert zu sein führt häufig zu Angstzuständen, Panikattacken und Zukunftsangst. Weitere Folgen sind Depressionen und Lethargie.

Fühlen wir uns hilflos, haben wir das Gefühl, wenig Einfluss darauf zu haben, unser Leben wieder in Ordnung zu bringen. Wir betrachten uns wie Treibholz, das von den Launen des Schicksals getrieben wird. Schon die Erledigung kleinster Aufgaben erfordert eine immense Willensanstrengung. Wir fühlen uns schwach und orientierungslos. Unsere Ehe, in die wir solches Vertrauen hatten, ist gescheitert und wir waren nicht in der Lage, das Schicksal abzuwenden.

Hugh wurde von seiner Frau verlassen, nachdem er sich so um sie bemüht hatte. Er hatte alles getan, um ihre Probleme an der Wurzel zu bekämpfen, und war doch gescheitert. Als er beobachtete, wie sie durch die Tür ging, wusste er, dass sie nie zurückkehren würde. Er hatte das Gefühl die Kontrolle über sein eigenes Leben zu verlieren. „Ich fühlte mich schon direkt nach dem Aufwachen wie ausgelaugt. Dass ich überhaupt zur Arbeit gehen konnte, betrachte ich auch heute noch als eine Leistung. Die Bewältigung meiner alltäglichen Aufgaben bedeutete für mich allerhöchste Anstrengung. Bis zu einem gewissen

Punkt kannst du dich selbst belügen, doch dann holt die Realität dich ein und du musst dich der Tatsache stellen, dass du mit der Situation eben *nicht* fertig wirst. Du überlebst, mehr nicht. Ich empfand die Situation als einen gewaltigen Balanceakt. Doch wenn ich heil ans andere Ende des Seils kommen würde, würde ich ‚leben'. Ich stand kurz vor dem Abgrund und wäre um ein Haar abgestürzt. Ich hatte jegliche Kontrolle verloren."

In dem Sommer, in dem Annie ihn verließ, hatte Hugh die Chance zu einem beruflichen Aufstieg. Er scheiterte beim Vorstellungsgespräch und ein anderer Bewerber wurde befördert. Hugh erkannte seine mentale und emotionale Verwirrung als einen der Gründe für sein berufliches Scheitern. Da Hugh sich inzwischen darüber im Klaren war, dass er die Situation alleine nicht bewältigen konnte, nahm er professionelle Hilfe in Anspruch. Dies war der Wendepunkt. Er legte den Grundstein für ein neues Leben. Hugh gelang es, die immer wiederkehrenden Fragen „Warum?" und „Was habe ich bloß falsch gemacht?" im Keim zu ersticken. Stattdessen lernte er, sich selbst und seine Bedürfnisse wieder in den Mittelpunkt seines Lebens zu rücken und sich selbst immer wieder neue, wenn auch kleine Ziele zu setzen. So war eines dieser Ziele z.B., dass er jeden Morgen ein sauberes und gebügeltes Hemd anzog oder dass er sich abends etwas kochte. Alltagsroutine für die meisten Menschen, doch für Hugh, der jegliche Kontrolle über sein Leben verloren hatte, glichen diese Anforderungen der Besteigung des Mount Everest.

Indem wir uns kleine Ziele setzen und uns auf uns selbst und unsere Bedürfnisse konzentrieren, sind wir in der Lage, Schritt für Schritt wieder die Kontrolle über unser Leben zu übernehmen.

Wer ist schuld?

Schuldzuweisungen helfen uns bei dem Versuch, unsere Situation nach einer Trennung zu klären, am allerwenigsten. Die Schuldfrage ist ebenso fatal wie Beschuldigungen. Sobald wir uns oder andere beschuldigen, konzentrieren wir uns nur auf unseren Schmerz, unsere Wut und die erlittene Zurückweisung. Es ist nichts weiter als eine Abwandlung der immer wiederkehrenden Frage nach dem Warum. „Warum hat sie mich verlassen?" – „Was habe ich bloß falsch gemacht?" – „Das ist allein seine Schuld. Ich habe ihm alles gegeben, mein Leben, alles, was ich hatte. Und er macht einfach alles kaputt und geht. Warum?"

Indem wir dem Partner, der uns verlassen hat, die Schuld in die Schuhe schieben, haben wir eine Möglichkeit, mit unserer Wut umzugehen. Andererseits fressen wir auf diese Weise unsere Wut regelrecht in uns hinein, wo sie sich nach und nach zu Verbitterung auswächst. Unsere Freunde und unsere Familie kriegen dann zu hören: „Schaut, was mein Partner mir angetan hat. Ist das nicht ein mieser Typ?" Und alle werden in diesem Punkt mit uns übereinstimmen. Und es ist ja auch wirklich kein feiner Zug von Ihrem Partner, Sie und Ihre Gefühle zurückzuweisen.

Das Gefühl versagt zu haben ist nicht die einzige Ursache für den Verlust unseres Selbstbewusstseins. Das Gefühl der Zurückweisung wirkt sich oftmals noch weitaus verheerender aus. Wenn unser Partner uns wegen einer anderen Frau bzw. einem anderen Mann verlässt, sind der Schmerz, die Enttäuschung und die Wut meistens besonders intensiv. Die Enttäuschung ist außerordentlich schmerzhaft und wir haben oft nur einen Wunsch:

zurückzuschlagen und Vergeltung zu verlangen. Doch wem fügen wir damit auf lange Sicht die größere Verletzung zu? Viele Menschen sind auch noch Jahre nachdem sie von ihrem Partner verlassen wurden und dieser sich längst ein neues glückliches Leben aufgebaut hat, völlig verbittert. Verbitterung ist Gift für die Seele und hindert Sie daran, ein erfülltes Leben zu führen. Denken Sie über Ihre Verbitterung nach und zählen Sie die glücklichen Momente, die sie Ihrer Verbitterung zu verdanken haben. Fragen Sie sich, inwieweit Ihre Verbitterung Ihre momentane Lebensqualität und die Möglichkeiten zu ihrer Verbesserung beeinflusst. Wut hat durchaus positive Auswirkungen, wenn Sie mit einer Trennung leben lernen müssen, und erweist uns gerade in der ersten Zeit nach der Trennung gute Dienste. Diesen Aspekt wollen wir in einem der folgenden Kapitel näher erläutern. Wenn Sie diese Gefühle jedoch über einen zu langen Zeitraum hegen, verwandelt die Wut sich unweigerlich in Verbitterung. Hier gleicht die Wut einem guten Wein: Lagert man ihn zu lange, wird er irgendwann zu Essig.

Der Versuch herauszufinden, warum unser Partner uns verlassen hat, birgt die Gefahr, sich in einer Obduktion unserer Beziehung zu verstricken. In den meisten Fällen handelt es sich hierbei sowieso ausschließlich um Schuldzuweisungen. Dies ist ein völlig natürlicher Vorgang, der uns bei der Bewältigung der Zurückweisung, des Verlusts und des Schmerzes hilft.

Hätte ich doch bloß …

Anstatt uns in Selbstvorwürfen zu ergehen, können wir genauso gut einen Knüppel nehmen und uns damit auf den Kopf schlagen. Mit Selbstvorwürfen vernichten wir unser Selbstbewusstsein. Wir hegen völlig absurde Gedanken, wie z.B.: „Ich bin zu nichts gut. Selbst mein Mann bzw. meine Frau hält so wenig von mir, dass er bzw. sie mich verlassen hat". Ohne Selbstbewusstsein verlieren wir jegliche Energie. Wir haben weder den Mut noch das Vertrauen in die Zukunft zu blicken und festzustellen, was sie für uns bereithält. Doch worin liegt der tiefere Sinn dieser Form der Selbstbestrafung?

In den acht Jahren ihrer Ehe haben Tom und Caroline so manche Klippe umschifft. Eine davon hat sich jedoch als Zeitbombe herausgestellt, die zwölf Jahre später explodieren sollte. Das Ereignis war das schwache Glied in der Kette ihres gegenseitiges Vertrauens. 1984 hatte Tom mit seinem Bauunternehmen einige Schwierigkeiten und musste schließlich Konkurs anmelden. Zur selben Zeit begann er ein Verhältnis mit der Schwester von Carolines Freundin. Rosie, die erste Tochter, war zu diesem Zeitpunkt 18 Monate alt.

Als Caroline die Affäre entdeckte, fühlte sie sich zurückgewiesen und betrogen. „Ich war fest dazu entschlossen, unsere Ehe zu retten. Ich wollte nicht, dass irgendwer von dem Verhältnis erfuhr. Ich habe mich geschämt, weil Tom eine andere Frau hatte. Wir waren schließlich ein perfektes Paar. Ich hatte jegliches Vertrauen verloren, mein Selbstbewusstsein war gleich null." Die beiden konnten ihre Ehe retten und Caroline versprach, nie wieder ein Wort über Toms Affäre zu verlieren. Die beiden haben weder mit jemandem darüber gesprochen noch sich an eine Eheberatungsstelle gewandt. Zwölf Jahre später musste Caroline erkennen, dass dies ein großer Fehler gewesen war.

1995 stand auch Toms zweite Firma vor dem Ruin. Im Lauf der nächsten fünf Jahre verlor Caroline ihren Vater und ihre Mutter. Auch Toms Mutter starb in diesem Zeitraum. Ihrer Beziehung fehlte jetzt die familiäre Basis und die beiden lebten sich auseinander. Tom hatte wieder ein Verhältnis mit einer anderen Frau. Nach sechs Monaten entschloss er sich, seine Frau dieses Mal zu verlassen. Caroline fühlte, wie die alten Verletzungen durch die neuerliche Zurückweisung wieder aufbrachen. „Plötzlich war alles wieder da. Die ganze Geschichte wiederholte sich." Sie war der Überzeugung, dass er sie wegen dieser Frau verließ, die schließlich jünger und attraktiver war als sie. Sie suchte die Gründe für die Trennung in Äußerlichkeiten. Sie fragte ihren Mann wieder und wieder: „Was stimmt mit mir nicht? Was hat sie, was ich nicht habe?" Irgendwie, irgendwo hat irgendwer Fehler gemacht. Caroline hat diese Fehler verzweifelt bei sich selbst und in ihrem Äußeren gesucht. Sie konnte sich Toms Verhalten anders nicht erklären.

Die schlimmste Form der Selbstvorwürfe sind zermürbende Gedanken, die sich immer nur im Kreise drehen. „Hätte ich doch bloß dieses oder jenes anders gemacht, dann hätte es bestimmt doch noch geklappt." Wir suchen immer wieder Anhaltspunkte; ein Wort oder eine Geste, die den Ausschlag gegeben haben oder die Tragödie hätten verhindern können. „Wenn ich an dem und dem Tag das und das getan hätte, dann wäre er oder sie bestimmt geblieben. Ich hätte meine Ehe retten können!"

Caroline hat sich lange Zeit nicht aus dieser Tretmühle des „Wenn … dann …" befreien können. „Ich ertappe mich auch heute noch dabei. Im Gegensatz zu früher bestrafe ich mich jetzt nicht mehr dafür. Ich würde z.B. denken: Wenn wir nur mehr geredet hätten. Wenn ich ihm und seinen geschäftlichen Problemen doch bloß mehr Aufmerksamkeit geschenkt hätte. Wenn wir nach seiner ersten Affäre bloß zu einem Eheberater gegangen wären, anstatt die ganze Sache unter den Teppich zu kehren ...“

Wege aus der Dunkelheit

Kurz nach der Trennung haben Sie den Eindruck, die Flut und die Intensität Ihrer Gefühle sei zu stark, um sie in Ihrem restlichen Leben zu verarbeiten. Die dunklen Wolken aus Schmerz, Zurückweisung, Schuldzuweisungen, Verzweiflung, Wut und Verletzungen scheinen alles zu verschlingen. Sie haben keine andere Wahl, Sie müssen und werden damit zurechtkommen. Stellen Sie Ihren Partner, der Sie verlassen hat, nicht länger in den Mittelpunkt Ihres Lebens. Versuchen Sie sich auf sich selbst zu konzentrieren. Stellen Sie sich jeden Tag aufs Neue eine Aufgabe, und sei sie auch noch so profan. Räumen Sie Ihren persönlichen Aktivitäten höchste Priorität ein.

Bewegung kann Depressionen lindern. Wenn Sie sich größeren sportlichen Betätigungen nicht gewachsen fühlen, machen Sie doch ein- oder zweimal täglich einen kurzen Spaziergang. Auf diese Weise können Sie Ihre Gefühle zunächst einmal für sich selbst ordnen. Falls möglich, gehen Sie ins Grüne. Besuchen Sie nahe gelegene Parks oder andere ruhige Plätze. Flussläufe oder Seen üben eine äußerst beruhigende Wirkung aus.

Suchen Sie so oft wie möglich die Gesellschaft guter Freunde. Lassen Sie sich von Ihrer Familie und Ihren Freunden in den Arm nehmen und genießen Sie deren Anteilnahme. Sagen Sie ihnen, was Sie sich wünschen und was Sie brauchen. Das lindert einerseits den Schmerz der Zurückweisung und andererseits erkennen Sie, dass andere Menschen Sie wertschätzen und lieben.

Wenn die Verzweiflung Sie immer wieder einholt, nehmen Sie professionelle Hilfe in Anspruch. In vielen Städten gibt es auch Selbsthilfegruppen zu diesem Thema. Hier können Sie frei über Ihre Gefühle sprechen und Ihre Erfahrungen mit anderen teilen, die Ähnliches erlebt haben.

Wenn Sie zu einer täglichen Routine gefunden haben, behalten Sie diese unbedingt bei. Akzeptieren Sie, dass es immer wieder Tage geben wird, an denen Sie sich miserabel fühlen. Im Laufe der kommenden Wochen und Monate werden Sie feststellen, dass die Tage, an denen Sie sich gut fühlen, immer häufiger werden und Sie immer weniger schlechte Tage erleben werden. Konzentrieren Sie sich auf die Gegenwart. Wagen Sie sich jeden Tag ein Stück weiter vor. Halten Sie sich immer wieder vor Augen, dass Licht am Ende des Tunnels ist und die Zukunft Änderung verspricht.

3

Wenn Sie Ihren Partner verlassen

Ich wurde hin und her gerissen. Jeder wollte ein Stück von mir, um mich zu besitzen. Ich würde ihr Leben zerstören. Doch ich musste gehen. Ich hatte getan, was ich konnte. Ich hatte nur noch den Kern meines Selbst im Herzen und den wollte und konnte ich niemandem geben. Das war alles, was von mir übrig geblieben war. Alles andere war im Lauf der Jahre aufgerieben. Wäre ich geblieben, wäre ich gestorben.

Sarah, 49, geschieden

Eine der am meisten verbreiteten, vereinfachten und verführerischen Behauptungen in diesem Zusammenhang ist die, der Verlassene sei das alleinige Opfer einer Trennung.

Hören wir von jemandem, der verlassen worden ist, gilt diesem Menschen all unsere Aufmerksamkeit und Sympathie. Schließlich ist er oder sie das Opfer einer grausamen, rücksichtslosen und egoistischen Entscheidung seines Partners, der ihn bzw. sie mit dem Scherbenhaufen seines bzw. ihres Lebens sitzen lässt.

Sobald uns ein Freund oder Bekannter erzählt, er sei verlassen worden, gilt ihm sofort unser aufrichtiges Mitgefühl und Verständnis. Aussagen wie „Mein Mann hat mich nach 20 Jahren Ehe verlassen" oder „Meine Frau hat mich ohne Erklärung wegen einem anderen sitzen lassen", wecken hehre Gefühle in uns. Wir tun schon ganz recht daran, uns um diese Menschen und ihr Leid zu kümmern. Er oder sie ist das Opfer einer Trennung und leidet unter diesem Verlust. Derjenige, der geht, empfindet jedoch häufig ganz ähnliche Gefühle.

Wenn Sie Ihren Partner verlassen, haben Sie sich das in den meisten Fällen gut überlegt und wissen sehr genau, was Sie tun. Sie können sich also unmöglich verletzt, wütend und depressiv fühlen oder gar Kummer empfinden, oder? Schließlich haben Sie diese Entscheidung aus freien Stücken getroffen und werden dafür gute Gründe gehabt haben. Es ist eine Entscheidung gegen die Beziehung, in die auch Sie Zeit, Energie und Vertrauen in die Zukunft investiert haben. Für Sie ist es an der Zeit, sich nach einer saftigen Wiese umzusehen. Also haben Sie auch keine Probleme damit und empfinden keinerlei Schmerz. Ergibt das einen Sinn? Nein, das tut es nicht. Für uns ist jetzt der Zeitpunkt gekommen, uns die andere Seite der in Kapitel 2 erwähnten Medaille genauer zu betrachten. Schließlich sollten wir auch diese andere Seite kennen, den Blickwinkel desjenigen, der geht.

Die Notwendigkeit zu fliehen

Wenn sich jemand dazu entschließt, eine Beziehung zu beenden, geht diesem Schritt zumeist ein langer Prozess voraus. Derjenige, der die Trennung wünscht, sieht darin zumeist die einzige Möglichkeit, den aus der Heirat entstandenen Ansprüchen und dem damit einhergehenden Druck zu entkommen. Dieser Druck kann die unterschiedlichsten Ursachen haben: Die Beziehung ist der Veränderung eines oder beider Partner nicht gewachsen; die Partner sind zu keiner wirklichen Kommunikation fähig oder einem bzw. beiden Beteiligten mangelt es am erforderlichen Respekt gegenüber dem Partner. Der eigentliche Grund für den Druck bleibt derselbe und die scheinbar verschiedenen Ursachen ändern auch nichts an dem Ergebnis. Die Beziehung ist ernsthaft gestört. Wenn alle Versuche die Partnerschaft zu kitten sich als sinnlos erweisen, fühlen wir uns unserer eigenen Beziehung hilflos ausgeliefert.

Unser Gefühl der Hilflosigkeit bewirkt häufig den instinktiven Wunsch zur Flucht – koste es, was es wolle. Wir alle haben schon einmal von dem Fuchs gehört, der sich das eigene Bein abbeißt, um aus der Falle zu entkommen. Diese Geschichte ist wirklich bemerkenswert und entbehrt nicht einer gewissen Ironie. Der Fuchs opfert seine Gesundheit, um frei zu sein. Er zieht die Tortur einer solchen Selbstbefreiung und lebenslange gesundheitliche Schäden eindeutig einem Leben in Gefangenschaft vor. Hier lassen sich durchaus Parallelen zu menschlichen Beziehungen ziehen und jeder, der aus reinem Selbstschutz eine Beziehung beendet hat, weiß, wovon ich spreche.

Es spielt keine Rolle, wie schnell oder wie weit wir flüchten, und sei es direkt in die Arme eines neuen Partners, früher oder später holt uns die Trennung ein. Wir müssen den Tatsachen ins Auge blicken. Wir müssen uns darüber klar werden, dass wir geflüchtet sind und warum wir es getan haben. Wir beenden eine Beziehung erst dann, wenn wir davon überzeugt sind, dass wir in und mit dieser Beziehung nicht länger leben können. Wir erkennen, dass sich die Basis, die Karosserie unserer Beziehung unter dem Druck auflöst. Der Motor ist völlig überlastet; er stöhnt und ächzt vor Anstrengung. Diese Überzeugung entsteht bei uns nicht über Nacht. Wir fragen uns wieder und wieder, ob es sich inzwischen tatsächlich um irreparable Schäden handelt.

Indem wir uns immer wieder dieselben Fragen stellen, können wir die Trennung ohne weiteres jahrelang vor uns her schieben. Wir haben eine äußerst unangenehme und qualvolle Entscheidung zu treffen. Soll ich die Beziehung beenden oder ihr noch eine Chance geben? Da Karosserie und Motor untrennbar miteinander verbunden sind, fällt uns diese Entscheidung unglaublich schwer. Wir wissen nicht, was wir tun sollen. Wir definieren uns über unsere Beziehung, und nur, wenn wir uns darin eingesperrt fühlen; wenn der Motor nicht mehr funktionsfähig ist und blockiert; wenn uns die Aufgabe die Beziehung zu retten als unlösbar erscheint; wenn wir einfach nur noch überleben wollen; dann, und nur dann akzeptieren wir, dass wir sie hinter uns lassen müssen.

Die Trennung als einziger Ausweg

Die wenigsten Menschen verlassen ihre Partner aus Grausamkeit, Selbstsucht oder Unversöhnlichkeit. Fälle, in denen die Trennung, bewusst oder auch unbewusst, als letzter Ausweg erscheint, sind weitaus häufiger. Und all denen wollen wir uns nun zuwenden.

Der 56-jährige Robert, der sich mittlerweile aus der Werbebranche zurückgezogen hat, weiß nur zu gut, was der Ausdruck „einziger Ausweg" in diesem Zusammenhang bedeutet. Am 5. Oktober 1992 hat er seine Frau Susan nach fast zehnjähriger Ehe verlassen. Er liebte seine Frau zu diesem Zeitpunkt nach wie vor von ganzem Herzen. Sie hatten sich während einer Publicitytour durch England, auf der er für ein Buch seines Freundes warb, kennen gelernt. Er hatte sich unsterblich in Susan verliebt und sie hielten über einen Zeitraum von mehreren Monaten Briefkontakt. Sie heirateten einen Monat, nachdem Robert nach England gezogen war, um in ihrer Nähe zu sein. „Uns war beiden klar, dass wir sowieso irgendwann heiraten würden. Also heirateten wir am Freitag, dem 29. Juli 1983. Es war ein herrlicher Tag", erinnert sich Robert.

Schon zu Beginn ihrer Flitterwochen bemerkte Robert, dass in ihrer Beziehung etwas absolut nicht stimmte. Durch einen Vorfall im Hotel trat etwas zu Tage, dessen er sich bis zu diesem Zeitpunkt nicht in vollem Umfang bewusst gewesen war – Susans tiefe Religiosität. „Sofort nach unserer Ankunft im Hotel fragte sie an der Rezeption, ob in der näheren Umgebung ‚Versammlungen' abgehalten würden. Ich hatte keine Ahnung, worum es sich bei diesen ‚Versammlungen' handelte", berichtet Robert. Er wusste schon vor der Hochzeit, dass Susan regelmäßig die Kirche besuchte. „Ich hatte jedoch keine Ahnung, dass ihre Gläubigkeit einer Besessenheit gleichkam."

Nach ihrer Rückkehr nahm seine Frau immer öfter an Versammlungen ihrer Kirche teil. Schon in den ersten Wochen ihrer Ehe begann er sich zu fragen, worin Susans Prioritäten lagen. Wem gab sie den Vorzug, ihm oder ihrem Gott? Er wusste jedoch, dass Susan Fragen dieser Art als einen Angriff auf ihren Glauben werten würde. „Ich verhielt mich in dieser Situation nicht besonders geschickt. Ich hatte schon früher Erfahrungen mit Menschen gesammelt, die sich ihrem Glauben völlig hingaben. Doch mit denen lebte ich auch nicht in einer so engen Beziehung. Ich hatte das Gefühl, in einem völlig finsteren Raum zu sitzen, in dem nicht der kleinste Lichtschimmer vorhanden war."

Über einen Zeitraum von neun Jahren wurde Susans Religiosität mehr und mehr zum Zankapfel zwischen den beiden. Robert war sich bewusst, dass sie beide sich sehr um ihre Beziehung bemühten. Sie liebten sich aufrichtig, doch Susans Glaube wurde zu einem unüberwindbaren Hindernis. In den letzten zwölf Monaten ihrer Ehe besuchte Susan täglich die Kirche, sonntags sogar zweimal. „An zwei Dinge erinnere ich mich noch besonders gut. Ich hatte jeglichen Sinn für Humor verloren und daran, dass ich erst in meiner Ehe erfuhr, was es heißt, einsam zu sein."

Im Sommer 1991 erreichte die Krise aus Roberts Sicht den Höhepunkt. „Ich wusste, dass unser Problem in der Persönlichkeit meiner Frau begründet lag, ihrem tiefen Glauben und ihrer politischen Überzeugung. Ich versuchte es im Bösen – ohne Erfolg. Ich flehte sie an – ohne Erfolg. Ich versuchte mit ihr darüber zu sprechen – ohne Erfolg. Wir waren nicht in der Lage, das Problem zu bewältigen. Ich befand mich in einem dunklen Labyrinth, aus dem es kein Zurück gab, weil die Eingangstür verschlossen war. Ich sah keinen anderen Ausweg, als meinem Leben ein Ende zu setzen."

Als Susan für ein paar Tage ohne ihn weggefahren war, spülte Robert 100 Paracetamoltabletten mit einer Flasche Whisky runter. Eine Trennung war für ihn zu diesem Zeitpunkt keine mögliche Alternative. Er konnte die Vorstellung, die Beziehung zu beenden, nicht ertragen. Gleichzeitig sah er jedoch auch keine Möglichkeit, die Beziehung zu retten.

Die Geschichte endet hier jedoch noch nicht. Tatsächlich ist dies erst der Anfang. Robert überlebte seinen Selbstmordversuch und begann seine schmerzlichen Erfahrungen zu verarbeiten und den Sinn seines Lebens nicht länger in seiner Beziehung mit Susan zu suchen. Es dauerte noch über ein Jahr, bis er sich zur Scheidung entschloss. Für Robert war die Trennung von seiner Frau die einzige

Möglichkeit zu überleben. Er musste die Ehe beenden; denn die Fehler hatten sich zu gewaltigen Problemen ausgewachsen, denen er keinen Einhalt mehr gebieten konnte. Seine Beziehung hatte sich verselbstständigt und Robert war darin gefangen. Die Ehe mit Susan war das Gerüst seines Lebens; er konnte sich nicht als von dieser Struktur unabhängig vorstellen, selbst wenn ihm sein Leben unter diesen Umständen nicht mehr lebenswert erschien.

Beziehungen werden nicht aus Schwäche beendet. Die Entscheidung den Partner zu verlassen, kostet in den meisten Fällen eine große Willensanstrengung und dient einzig und allein dem Selbstschutz. Viele fühlen sich nutzlos und hilflos ausgeliefert. Schließlich haben sie nur noch einen Wunsch: Sie wollen den Umständen, aus denen eine Flucht eigentlich unmöglich scheint, entfliehen. Die Vielfalt der Gefühle beeinträchtigt die Wahrnehmung unseres Alltags und unser Gefühl für uns selbst. Wir haben den Eindruck, wir könnten uns von all dem unmöglich befreien.

Da wir uns überhaupt gar nicht mehr vorstellen können, dass es ein Leben ohne unsere Beziehung geben könnte, erscheint Selbstmord in dieser Situation als der letzte Ausweg. Aber es gibt immer eine Zukunft. Sie ist neu, einzigartig und hält viele neue Erfahrungen und Empfindungen für uns bereit – und sie wird durch uns selbst und durch unsere Bedürfnisse bestimmt und nicht durch unsere Ehe mit all ihren negativen Auswirkungen auf unser Gefühlsleben, die unsere Lebensfreude mehr und mehr erstickt; eine Ehe, durch die wir nach und nach das Gefühl für uns selbst verloren haben und durch die wir uns im Lauf der Zeit mehr und mehr unterdrücken ließen.

Ein neuer Partner als Lösung

Es gibt die verschiedensten Möglichkeiten zur Flucht aus einer solchen Beziehung. *Ein* Fluchtweg kann sich in Form einer Affäre zeigen. Durch eine Affäre bekommt die Trennung einen Sinn und wir können uns den Zwängen unserer Ehe entledigen. Unser Verhältnis liefert uns den erforderlichen mentalen und emotionalen Anstoß zur Flucht, was aber nicht bedeutet, dass wir unsere neue Beziehung nicht ernst nähmen oder sie uns nicht wichtig sei.

Tatsache ist jedoch, dass wir nur offen für eine neue Beziehung sind, weil unsere Ehe nicht mehr funktioniert. Nichts ist einfach nur schwarz oder weiß, so wie wir es gerne hätten. Die meisten von uns sind bei der Hochzeit davon überzeugt, ihre Ehe sei „unantastbar". Doch im Lauf der Zeit lässt uns irgendetwas an oder in unserer Ehe unglücklich sein oder einfach einer Trennung offen gegenüberstehen. Unsere großen Erwartungen an die Beziehung wurden nicht erfüllt; die Ehe läuft ganz und gar nicht so, wie wir uns das vorgestellt hatten. Unsere Empfänglichkeit für eine neue Beziehung hat die verschiedensten Gründe. Wir hoffen so, unsere unerfüllten Bedürfnisse zu befriedigen, ein Ventil für unsere Wut und unsere Frustration zu finden oder quasi ein „Ausreisevisum" aus der alten Beziehung zu erhalten.

Sara, die als Einzelkind aufwuchs, heiratete mit 22 Jahren. Ausschlaggebend für ihre Partnerwahl war, dass ihre Mutter starb, als Sara ein Teenager war, und sie über mehrere Jahre hinweg für den Haushalt verantwortlich war. Sara hatte sich immer ihrer Kindheit beraubt gefühlt. Sie lernte George auf einer Party kennen und verliebte sich Hals über Kopf in ihn. George war zu diesem Zeitpunkt 27 und seit fünf Monaten von seiner ersten Frau geschieden. Ein weiterer bedeutender Faktor mit großen Auswirkungen auf die Ehe.

„Er war so aufmerksam und aufgeschlossen", erinnert sich Sara. „Zu meinem Geburtstag schenkte er mir eine Orchidee und lud mich in ein teures Hotel ein. Es war herrlich romantisch. Mit ihm erlebte ich meinen ersten Orgasmus und glaubte, dass ich ihn allein deshalb lieben müsste." Sechs Monate, nachdem sie sich kennen gelernt hatten, hielt George um Saras Hand an. „Er kniete vor mir nieder und fragte mich, ob ich seine Frau werden wollte. Er sagte, er wolle sich um mich kümmern. Ich hoffte, von ihm einen Teil meiner verlorenen Kindheit zurückzubekommen."

George erzählte ihr, dass er von seiner ersten Frau wegen eines anderen Mannes verlassen worden sei. Er war ein Opfer. Also bürdete Sara sich die Last auf, ihre Ehe erfolgreich zu gestalten: „Georges erste Frau hatte ihn verlassen. Ich gab mir selbst das Versprechen, alles für das Gelingen meiner Ehe zu unternehmen." In den ersten sechs Monaten ihrer Ehe erlebten sie ein „ekstatisches" Glück und führten sich auf wie kleine Kinder. Sie gingen Tanzen und genossen ihr gemeinsames Leben. Sara selbst war es, die George dazu aufforderte, einen Gang zurückzuschalten und sich wie erwachsene Menschen zu benehmen. Zu diesem Zeitpunkt machte Sara eine für ihre Ehe folgenschwere Entdeckung: George war manisch-depressiv.

„Vor unserer Hochzeit kannte ich ihn ja erst sechs Monate und in dieser Zeit war er in einer manischen Phase. Die Möglichkeit einer Ehe mit mir versetzte ihn in einen Zustand freudiger Erregung. Alles war wunderbar und plötzlich zog jemand ihm den Boden weg.

George musste jetzt zum ersten Mal nach seiner Scheidung ‚herunterschalten' und er geriet in ein tiefes emotionales Loch. Da lag mein Mann, der mir sein Versprechen gegeben hatte sich um mich zu kümmern, im Bademantel auf dem Sofa und hätte sich am liebsten in eine der Ritzen verkrochen. Es war, als sei eine Bombe explodiert."

Dies war die erste von vielen depressiven Phasen ihres Ehemannes, die Sara in den achteinhalb Jahren ihrer Ehe erlebte. Sie hatte das Gefühl, die Kontrolle übernehmen zu müssen. Sie hatte sich gelobt alles für das Gelingen ihrer Beziehung zu tun. Doch die Flitterwochen waren vorüber und nach einem Jahr Ehe hatte Sara ihre erste Affäre. Warum? Sie war wütend und fühlte sich verletzt. All ihre Hoffnungen und Erwartungen wurden von einem Augenblick zum nächsten zerstört und das Einzige, was blieb, war die Aufgabe es irgendwie hinzukriegen.

„Ich fühlte mich betrogen. Er kam als der Prinz auf seinem weißen Pferd daher und nahm mich mit in seinen Palast. Ich hatte ihm zuliebe all meine Freunde, meinen Beruf, ja mein ganzes Leben aufgegeben. Ich habe meine Heimatstadt verlassen und bin zu ihm gezogen. Er hatte gar keine Vorstellung von dem, was ich für ihn hinter mir gelassen hatte." Unter den gegebenen Umständen konnte sie ihn unmöglich verlassen und sie geriet mehr und mehr unter Druck. Sara reagierte, indem sie eine Affäre mit einem früheren Liebhaber wiederbelebte und dieses Verhältnis als Ventil für ihren Ärger und ihre Frustration benutzte.

Die folgenden Jahre verbrachte sie damit, sich um ihren Mann zu kümmern. Sie entsprach seinen Wünschen und hoffte darauf, ihm auf irgendeine Weise aus seinen Depressionen herauszuhelfen. Sie wollte ihren Mann glücklich machen und so ihre Ehe retten. „Ich dachte nur noch in einem Schema von ‚Wenn …, dann …' Ich dachte achteinhalb Jahre an nicht anderes. ‚Wenn ich dieses oder jenes tue, dann passiert das und das und alles ist wieder gut.' Jeden Monat dachte ich: ‚Nächsten Monat wird es bestimmt besser.' "

George wünschte sich ein Kind und Sara wollte ihm diesen Wunsch erfüllen. Doch sie wurde nicht schwanger. Sie probierte es mit den verschiedensten Therapien, von denen einige nicht ungefährlich waren, doch keine führte zum Erfolg. Sie mussten sich damit abfinden, dass Sara keine Kinder bekommen konnte.

„Die Tatsache, dass ich unfruchtbar bin, hat mein Selbstbewusstsein nachhaltiger zerstört als alle anderen negativen Erlebnisse in meinem Leben. Mein Mann hatte in seinem Leben alles gehabt, was er wollte, und ich war nicht in der Lage ihm diesen einen Wunsch zu erfüllen. Und da die medizinische Ursache bei mir lag, war es einzig und allein meine Schuld. Er wünschte sich ein Kind und ich dachte: ‚In Ordnung, dann soll er ein Kind haben.' Doch ich konnte ihm dieses Kind nicht geben. Ich hatte versagt."

Nach zwei Jahren Ehe adoptierten sie ein kleines Mädchen. Sara beendete ihre Affäre und übernahm die Rolle der Mutter. Sie war der Überzeugung, ihre Gebete seien erhört worden und schließlich würde doch noch alles gut. Doch so war es nicht. Ihr Mann wünschte sich weitere Kinder und die konnte sie ihm nicht geben. Sie hatte wieder versagt. Schließlich einigten sie sich darauf Pflegekinder aufzunehmen.

Sara fühlte sich inmitten all dieser Kinder verloren und zog sich mehr und mehr zurück. Vor ihrer Hochzeit mit George war sie ein sehr extrovertierter Mensch, doch seit 1975 versteckte sie sich lieber in ihrer Küche. „Ich hatte mich lebendig hinter einer drei Meter hohen und einen halben Meter dicken Mauer eingemauert. Vor meiner Beziehung zu George war ich voller Lebenslust. Doch in dieser Ehe wurde ich durch die Ereignisse und sein Verhalten von Tag zu Tag niedergeschlagener. Ich war das perfekte Abbild meiner alternden Tanten. Abgestumpft. Spießig. Mit 30 Jahren war ich eine alte Frau."

Sara hatte den Scheitelpunkt erreicht. Im Februar 1977 begann sie eine neue Affäre. Doch dieses Mal war es anders. Sie verliebte sich in einen jüngeren Mann aus ihrer Nachbarschaft. Er holte sie aus ihrer Küche heraus und ermutigte sie wieder am gesellschaftlichen Leben teilzunehmen. „Da war jemand, der mich als Sara betrachtete und in mir nicht nur ‚Georges Frau' sah. Ich hatte Angst. Große Angst. Ich fühlte mich wie Dracula, den man ins Sonnenlicht zerrte. Und ich hatte Angst davor, dort draußen nicht zu ‚funktionieren'. Schließlich war es jedoch diese Affäre, die mir den Weg aus meiner Ehe ebnete."

Acht Monate später, nachdem auch eine Eheberatung die Probleme nicht beseitigen konnte, beichtete Sara ihrem Mann die beiden Affären, mietete sich eine eigene Wohnung und verließ ihn. Dies waren die erste Schritte zu ihrer Selbstfindung.

Schuld und Versagen: Preis der Freiheit

Kein Mensch gibt eine Beziehung auf ohne nagende Zweifel, Angst und Selbstvorwürfe. Doch jeder, der eine Beziehung beendet hat, weiß, dass er diese Gefühle besiegen muss. Lassen wir uns von unseren Gefühlen besiegen, bedeutet das nichts anderes, als sich weiterem Druck auszusetzen und in der Beziehung zu verharren. Weiterhin müssten wir an einen Platz zurückkehren, von dem wir genau wissen, dass wir dort nicht überleben können – unsere Beziehung.

Halten Sie eine Beziehung nur auf Grund von Schuldgefühlen aufrecht, hat das für beide Seiten äußerst negative Konsequenzen. Sara wurde von George immer wieder daran erinnert, dass sie für das Gelingen der Ehe verantwortlich sei. Sie revanchierte sich, indem sie seine schlimmsten Alpträume Wirklichkeit werden ließ: Sie begann eine Affäre. Als sie ihn schließlich verließ, empfand sie weder Respekt noch Liebe für ihn. Sie wollte nur wieder zu sich selbst finden und sich nach und nach die Dinge zurückerobern, die sie ihrer Beziehung geopfert hatte. Ihre zweite Affäre bot ihr eine Möglichkeit zur Flucht sowie zur Rettung dessen, was von ihr übrig geblieben war. Sie entkam zwar der Falle, doch bei ihrer Flucht zog sie sich schwere Verletzungen zu. Sie hatte die Last der bohrenden Schuldgefühle auf sich genommen, die mit dem überwältigenden Gefühl versagt zu haben untrennbar verbunden waren.

Schließlich war sie diejenige, die gegangen war. Sie hatte das Leben ihres Ehemannes, ihrer Tochter und ihrer Pflegekinder zerstört. Ihr Selbstbewusstsein war an einem absoluten Tiefpunkt angelangt und selbst nachdem sie alleine lebte, machte sie sich Vorwürfe, weil sie ihre Ehe nicht hatte retten können. Sie hatte alles gegeben, doch das war nicht genug. „Drei Monate nachdem ich George verlassen hatte, feierten meine Tante und mein Onkel Hochzeitstag. Der Weg zu ihnen dauerte ungefähr zwei Stunden. Ich weinte die ganze Zeit lang hemmungslos. Ich fühlte mich schrecklich. So wertlos. Absolut wertlos. Auf den Fotos von dem Fest bin ich nicht zu sehen. Ich habe mich im Hintergrund gehalten. Ich fühlte mich so schlecht, dass ich unsichtbar sein wollte. Kein Mensch sollte mich sehen."

Das Gefühl des Versagens ist überwältigend. Robert hatte immer wieder versucht seine Ehe zu retten. Und er war immer wieder gescheitert. Auch wenn er sich für das Gelingen seiner Ehe nicht im selben Maße verantwortlich fühlte wie Sara, wurde auch er von einem Gefühl des Versagens überwältigt. Er wollte Susan nicht aus ihrem gemeinsamen Haus hinauswerfen und war drei Monate obdachlos, bevor er eine neue Bleibe fand. „Auf dem Wohnungsamt brach ich vor den Augen des zuständigen Beamten in Tränen aus. Ich konnte mich nicht artikulieren. Ich konnte keinen klaren Gedanken fassen. Ich biss mir aus lauter Verzweiflung auf die Zunge … Mir war klar, dass wir beide einfach nicht in der Lage gewesen waren unsere Ehe zu retten. Ich war unendlich traurig. Die Tatsache, dass zwei Menschen, die sich lieben, so weit kommen konnten, dass sie sich gegenseitig das Leben zerstörten, erfüllte mich mit tiefer Trauer."

Wenn Sie sich dazu entschließen, Ihren Partner zu verlassen bzw. Ihre Beziehung zu beenden, sind Sie, sobald Sie die Verantwortung für diese Entscheidung übernehmen, auch wenn es um Ihr bloßes Überleben geht, für Gefühle der Schuld, des Versagens und für Selbstvorwürfe äußerst empfänglich. Wenn Sie sich in Ihrer Partnerschaft unterdrückt gefühlt haben, überkommt Sie sicherlich zunächst einmal Euphorie, eine unbändige Freude über Ihre neu gewonnene Freiheit. Die Erleichterung kurz nach der Trennung kann gewaltig sein; doch nach und nach drängen sich die Schuldgefühle und Gefühle des Versagens immer weiter in den Vordergrund. Und das ist nicht alles: Da ist die Angst davor, mit der Bürde Ihrer Entscheidung völlig allein dazustehen.

Sara erinnert sich, dass ihr, nachdem die erste Euphorie sich gelegt hatte, erste Zweifel kamen. „Ich lebte zum ersten Mal in meinem Leben allein, vollkommen allein. Ich fühlte mich sehr verloren und fragte mich: ‚Wer bin ich? Was bin ich?' Mein Leben hatte sich immer nur um andere Menschen gedreht. Ich war Mutter, Pflegemutter, Georges Frau. Ich hatte für andere gekocht, geputzt – jetzt, wo diese Aspekte nicht mehr Teil meines Lebens waren, war ich mit mir allein. Ich hatte Angst vor dem Alleinsein.“

Was macht eine Trennung so demütigend, so demoralisierend und so selbstzerstörerisch? Diese Frage lässt sich zum Teil mit der geltenden Moral beantworten. Wenn wir heiraten, geben wir ein Versprechen. Wenn wir gehen, brechen wir dieses Versprechen. Wir sind längst nicht so fortschrittlich, dass wir unseren Partner verlassen könnten, ohne uns mit dem moralischen Aspekt auseinander zu setzen. Wenn wir uns zur Trennung entscheiden, kriegen wir unweigerlich die Kritik derer zu spüren, die eine Scheidung für ein moralisches Vergehen halten. Und diese Menschen sind sehr zahlreich. Weiterhin ist die Rolle des Entscheidungsträgers eine einsame Rolle und nur die wenigsten werden uns für unsere Entscheidung danken oder bewundern.

Doch wir sollten folgende Tatsache nicht außer Acht lassen: Den Partner zu verlassen erfordert viel Mut. Mit diesem Schritt schwimmen Sie gegen den Strom. Sie erfüllen nicht länger die Bedürfnisse und Erwartungen anderer Menschen. Sie gehen, trotz Ihres Versprechens „…bis dass der Tod euch scheidet“. Und entgegen aller Vernunft hören Sie immer wieder Ihre innere Stimme, die Sie daran erinnert, dass Sie versagt haben, wenn Sie Ihren Partner verlassen. Egal, wie sehr Ihre Umwelt Sie auch verurteilen mag: Sie selbst bestrafen sich härter als alle anderen zusammen dies je tun könnten. Denken Sie darüber nach und werden Sie sich dessen bewusst, dass eine Menge Mut dazu gehört seinen Partner zu verlassen. Irgendwann kommt der Zeitpunkt, an dem Sie diese Tatsachen akzeptieren können und sich selbst für Ihre Entscheidung danken. Sie haben diesen Entschluss schließlich nicht getroffen, um andere Menschen zu verletzen. Für Sie ist es der erste Schritt zu Ihnen selbst und in ein selbstbestimmtes Leben.

Sich akzeptieren und vergeben

Wenn eine Beziehung zerbricht, ist es für beide Betroffenen schwer zu fassen und beide suchen nach jemandem oder etwas, dem sie die Schuld geben können. In der Regel geben wir uns oder unserem Partner die Schuld. Wir betrachten unsere Ehe nicht als ein von beiden geschaffenes Gebilde. Vorwürfe gegen den anderen sind ein sinnloses Unterfangen. Denken Sie an die zwei Seiten der Medaille und Sie werden erkennen, dass unmöglich einer der Betroffenen die alleinige Schuld tragen kann. Die Ehe ist eine wechselseitige Beziehung, die auf die individuellen Aktionen der beiden Partner großen Einfluss ausübt.

Unter einer Trennung leiden alle Beteiligten. Derjenige, der geht, hält in den meisten Fällen den Druck und den Schmerz, der sich im Lauf von Jahren zu einer unerträglichen Bürde aufgetürmt hat, nicht mehr aus.

Wenn wir diese Tatsache akzeptieren, erkennen wir, dass wir uns selbst vergeben müssen, weil wir es verdienen. Wir haben absolut keinen Fehler gemacht; wir haben lediglich unsere eigene Haut gerettet. Um endlich frei zu sein, quälen wir uns mit Schuldgefühlen und fühlen uns als Versager. Dieser Schmerz gehört jedoch einfach dazu. Wenn wir überleben wollen, ist das der Preis für unsere Freiheit. Wenn wir die Kraft haben, uns selbst zu befreien, sehen wir keinen Sinn mehr darin, in einer unerträglichen Situation auszuharren. Sobald wir es geschafft haben und die Wunden ausgeheilt sind, sind wir froh darüber, diesen Schritt gewagt zu haben. Als freier Mensch können wir uns selbst und anderen viel mehr geben.

Doch was können wir tun, um unsere Wunden zu heilen? Wenn Sie sich in Schuldgefühlen ergehen, sich wertlos, einsam und verloren fühlen, müssen Sie lernen, Ihr eigenes Leben zu leben. Für den Fall, dass Sie eine Affäre als Fluchtweg aus Ihrer Beziehung benutzt haben, ziehen Sie sich zunächst einmal daraus zurück und werden Sie sich über Ihre Gefühle klar. Geben Sie sich Zeit und Raum und unterwerfen Sie sich nicht dem Irrglauben, dass Sie keinen Anspruch auf Kummer und Verlustgefühle haben, nur weil Sie derjenige waren, der die Trennung herbeigeführt hat. Sie haben diese Gefühle und Sie haben ein Recht darauf. Ob Sie nun um Ihren Expartner trauern oder glauben in Ihrer Ehe versagt zu haben: Sie brauchen Zeit, um Ihre Gefühle zu durchleben und sich mit ihnen zu arrangieren. Wenn Sie sich ohne Atempause sofort in eine neue Beziehung stürzen, hat das große und nicht unbedingt angenehme Auswirkungen auf alle Beteiligten. Letztendlich werden Ihre Schuldgefühle dadurch wahrscheinlich nur noch größer.

Suchen Sie die Gesellschaft von Menschen, die sie lieben und die Ihre Entscheidung als richtig und notwendig akzeptieren. Nehmen Sie sich Zeit und denken Sie darüber nach, was Sie vom Leben erwarten. Tun Sie all die Dinge, die Sie gern tun und für die Sie in Ihrer Ehe vielleicht keine Zeit hatten. Lesen Sie abends im Bett ein Buch, lassen Sie sich durch eine Aromamassage verwöhnen oder spielen Sie Golf. Wenn Sie sich selbst besser kennen lernen und sich selbst beobachten, steigern Sie automatisch Ihr

Selbstbewusstsein. Indem Sie sich selbst entdecken, werden sie erkennen, dass Sie die richtige Entscheidung getroffen haben.

Seien Sie dankbar für Ihre Freiheit – Sie haben schließlich teuer dafür bezahlt. Legen Sie den Grundstein für das neue und erfüllte Leben, das Sie verdienen.

4

Vom Umgang mit negativen Gefühlen

Ich stolperte durchs Haus und warf alles um. Ich ging die Treppe hinauf und war unfähig, die Stufen unter meinen Füßen wahrzunehmen. Abends konnte ich nicht mehr arbeiten, weil ich zu betrunken war. Ich habe viele Jahre gebraucht, bis ich erkannte, dass ich mehr vom Leben erwarte als eine Flasche Wein. Ich verdiente etwas Besseres.

June, 52, geschieden

Die Kraft der Liebe veranlasst uns zu regelrechten Höhenflügen der Freude und der Selbstlosigkeit. Uns scheint alles wie von selbst zu gelingen. Wir machen selbst das Unmögliche möglich. Doch auch hierbei gibt es zwei Seiten. Bei einer Trennung werden ähnlich kraftvolle Gefühle negativer Art freigesetzt. Wir werden von einer Vielzahl von Gefühlen heimgesucht, die wir uns niemals hätten träumen lassen. Anfangs sind sie äußerst intensiv und wir werden regelrecht von ihnen überwältigt. Diese Empfindungen lassen sich als der emotionale Trümmerhaufen dessen bezeichnen, was vorher einmal unsere Partnerschaft war. Und ähnlich dem Fallout nach dem Abwurf einer Atombombe braucht es eine lange Zeit, bis sie sich auflösen.

Wenn wir sie unterdrücken, manifestieren sie sich mit hoher Wahrscheinlichkeit zu einem späteren Zeitpunkt in Form von psychosomatischen Erkrankungen, u.a. Kopfschmerzen, Magenproblemen oder Rückenschmerzen. Die Betroffenen leiden unter Schlafstörungen oder auch Essstörungen; entweder sie essen zu viel oder verweigern die Nahrungsaufnahme. Manche Menschen betäuben den Schmerz auch mit Alkohol oder Drogen. Es ist alles andere als angenehm, wenn uns die negativen Gefühle verschlingen bzw. überwältigen. In dieser Zeit würden wir uns am liebsten verkriechen und nie wieder herauskommen. Während wir versuchen mit unseren Gefühlen umzugehen, würden wir am liebsten den Kontakt zur Außenwelt abbrechen.

Die Kraft der Wut

Wut, Zorn und der Wunsch nach Vergeltung – eine Trennung ist der ideale Nährboden für Gefühle dieser Art; Gefühle, die zu den destruktivsten Kräften des menschlichen Charakters zählen. Die Art und Weise, wie wir mit diesen Empfindungen umgehen, ist sowohl für die Richtung, die wir in unserem Leben nach der Trennung einschlagen, als auch für unsere zukünftige Lebensqualität von entscheidender Bedeutung.

In manchen Fällen verhilft uns unsere Wut jedoch auch zu der Energie, die wir zur Befreiung aus einer verfahrenen Situation benötigen. Sie gibt uns die Kraft zum Weitermachen. Ohne Wut würden wir unseren Weg nicht weiter gehen und wir würden die unüberwindbar erscheinenden Hindernisse weder in Angriff nehmen noch überwinden. Wenn unsere eigene kleine Welt zerbricht, fehlt uns häufig die emotionale Substanz, um mit unserer Situation fertig zu werden, doch unsere Wut treibt uns trotzdem voran. Auch wenn uns der Sinn für einen Neuanfang völlig fehlt, so verhindert die Wut gerade in der ersten Zeit zumindest unsere Selbstaufgabe bzw. unseren völligen Zusammenbruch.

Die Wut ist jedoch ein zweischneidiges Schwert. In Krisensituationen hilft sie uns zu überleben. Gehen wir jedoch nicht richtig mit diesem Gefühl um, verursacht es unsere Selbstzerstörung, permanenten Schmerz und Schäden unserer seelischen Gesundheit sowie der seelischen Gesundheit unserer Kinder. Wenn wir unserer Wut und unserem Zorn immer wieder in Rachegelüsten, in verbalen Attacken oder gar physischer Gewalt Ausdruck verleihen, geraten wir in einen Teufelskreis. Sie fallen, wenn auch in abgewandelter Form, immer wieder auf uns zurück. Auf diese Weise erhält unser Schmerz immer wieder neue Nahrung. Wir alle kennen den Ausdruck „schmutzige Scheidung". Doch was bedeutet das eigentlich? „Schmutzige Scheidung" besagt nichts anderes, als dass zumindest einer der Beteiligten seine Wut nicht mehr unter Kontrolle hat. Er bzw. sie oder auch beide setzen alles daran, diesen Kampf zu gewinnen. Es spielt dabei keine Rolle mehr, dass die Siegesprämie nichts weiter ist als das letzte Wort zu haben, Gerechtigkeit oder Genugtuung zu erfahren. Gewinnen wir diese Prämien und freuen uns über unseren vermeintlichen Erfolg, schaffen wir in uns einen wunderbaren Nährboden für Verbitterung. Wir müssen lernen unserem Ärger und unserer Wut Ausdruck zu verleihen und dann loszulassen. Nur so können wir weiterleben.

Das hört sich zwar einfach an, doch ist es leichter gesagt als getan. Jeder, der eine Trennung hinter sich hat, weiß, dass diese Wut berechtigt ist und zudem äußerst gesund sein kann. Wenn wir uns zurückgewiesen oder auch betrogen fühlen, folgt darauf automatisch eine unbändige

Wut. Wir wollen nichts weiter als unserem Gegner eben-falls einen Schlag versetzen. Dieser Mensch, der uns so tief verletzt hat, soll auf keinen Fall ungeschoren davon-kommen. Hierfür ist uns jedes Mittel recht. Es ist nicht un-gewöhnlich, wenn uns nach einer Trennung die Wut über-mannt. Wir können überhaupt nichts dagegen unterneh-men. Und bis zu einem gewissen Grad können uns diese Gefühle sogar äußerst hilfreich sein.

Wir sind wütend, weil wir durch die Trennung zu Op-fern geworden sind. Und als Opfer sind wir machtlos. Wenn wir zurückschlagen, wollen wir nicht nur, dass un-ser Partner auf irgendeine Art und Weise für das, was er uns angetan hat, bezahlt. Wir wollen Gerechtigkeit: Auge um Auge, Zahn um Zahn. Wir wollen Macht. Wenn wir es schaffen, dem anderen einen Schlag zu versetzen, sind wir nicht länger das Opfer. Wir üben Macht aus. Wir ha-ben uns zumindest einen Teil der Kontrolle zurücker-obert. Und wir haben uns selbst bewiesen, dass wir in un-serem Partner immer noch Gefühle hervorrufen können, egal, zu welchen Mitteln wir greifen müssen. Das Wesen der Wut ist der Machtkampf.

Indem wir Macht ausüben, fühlen wir uns stark. Und die Wellen der Wut können uns sicher über unseren Kum-mer und die Trostlosigkeit hinwegtragen. Die Wut hilft uns, den Glauben an unsere Beziehung nicht ganz aufge-ben zu müssen. Unsere Ehe war keine Illusion, unsere Ge-fühle waren einmal sehr intensiv und das sind sie heute auch noch, wenn auch im negativen Sinn. Wir müssen un-sere Wut jedoch zügeln und lernen, sie in konstruktive Bahnen zu lenken. Der sinnvolle Umgang mit unserer Wut stellt einen kritischen Punkt auf dem Weg aus der Verzweiflung heraus dar. Sobald wir unsere Wut kontrol-lieren können, haben wir den Wendepunkt für unsere weitere Entwicklung erreicht. Und die Art und Weise, wie wir unsere Wut dann lenken, hat große Auswirkungen auf unser künftiges Wohlbefinden sowie auf das Wohlbefinden aller Beteiligten. Solange wir uns nicht mit unserer Wut auseinander setzen, sie verdauen und dann loslassen, stagniert unsere Entwicklung. Solange wir nicht in der Lage sind, unsere Wut zu kontrollieren, setzen wir unsere eigene psychische Gesundheit und die unserer Kinder aufs Spiel.

Wenn die Wut außer Kontrolle gerät

Eine Beziehung scheitert nicht über Nacht. In der Regel haben beide Beteiligten schon ein eigenes System entwickelt, mit dem sie sich gegenseitig Verletzungen zufügen können. Dieser Kreislauf entsteht lange Zeit vor der eigentlichen Trennung. Etabliert sich ein negatives Verhaltensmuster in einer Beziehung, hat das nachhaltige Folgen. Wenn dieses Verhaltensmuster zu einem natürlichen Bestandteil der Beziehung wird, werden die verheerenden Auswirkungen in den meisten Fällen auf uns zurückgeworfen. Die Formen, durch die wir unsere Wut kanalisieren, entwickeln sich zu regelrechten Ritualen. Unsere Wut folgt wohlbekannten Wegen. Sobald wir uns ärgern, leiten wir unsere Wut automatisch in die bekannten Kanäle, die sich durch permanente Nutzung herausgebildet haben. Unsere Wut folgt dem Weg des geringsten Widerstandes. Dem Weg, den wir durch unseren wenig konstruktiven Umgang mit unserer Wut selbst angelegt haben.

Hat sich eine destruktive Verhaltensweise erst einmal etabliert, erfordert es viel Zeit und guten Willen, diese wieder abzulegen. Versäumen wir jedoch diesen Schritt, sind die langfristigen Schäden unabsehbar. Es lohnt sich also, unsere Verhaltensmuster zu ändern. Wir müssen uns über die möglichen Folgen unserer unkontrollierten Wut klar werden. Wir sollten uns vor Augen führen, was sie anrichten kann, wenn wir uns nicht darüber bewusst sind, wie dieses Gefühl entsteht und wie wir am besten damit umgehen. Wir wollen jetzt einmal untersuchen, welche Folgen unsere Wut in der Phase, die zur Trennung führt, und in den Monaten und Jahren danach haben kann. Die Auswirkungen ungezügelter Wut sind weder verlockend noch wünschenswert. Es ist jetzt an uns, unser Verhalten dahingehend zu ändern, dass die negativen Auswirkungen unserer Wut für unsere Zukunft keine Bedrohung mehr darstellen. Sie werden feststellen, dass sich die Mühe lohnt.

June, eine 52-jährige Krankenschwester, hat die Spätfolgen der Wut während ihrer 23 Ehejahre deutlich zu spüren bekommen. 1968 heiratete sie ihren Exmann Matthew während seiner Ausbildung zum Facharzt. Bei ihrer Hochzeit war sie 23 und ihr damaliger Mann 25. Obwohl sie innerhalb von zehn Jahren drei Kinder bekamen, war June während ihrer ganzen Ehe berufstätig. Matthew empfand das Zusammenleben mit einer Frau, die lediglich Hausfrau und Mutter war, als langweilig.

Nachdem die Kinder auf der Welt waren, weigerte Matthew sich, mit seiner Frau Sex zu haben, wenn die Kinder in der Nähe waren. Da sie zu diesem Zeitpunkt in einem kleinen Haus wohnten, hatten sie nach acht Ehejahren praktisch kein Intimleben mehr. Sie lebten zusammen wie Bruder und Schwester. 1978 schloss Matthew seine Ausbildung zum Facharzt ab, und nachdem sie zehn Jahre lang immer wieder umgezogen waren, ließen sie sich endlich an einem Ort nieder. Zum ersten Mal seit langer Zeit fand June wieder eine gute Freundin. Kurz darauf erfuhr sie jedoch, dass Matthew und ihre Freundin eine Affäre hatten. „Ich war völlig erschüttert. Nicht nur mein Mann hatte mich betrogen, sondern auch noch meine Freundin. Ich war fuchsteufelswild und rasend vor Wut."

June war der Meinung, Matthew hätte das Verhältnis mit ihrer Freundin aus Frust über das nicht vorhandene eheliche Sexualleben aufgenommen. Wirklich darüber gesprochen haben sie jedoch nie. Matthew war zu offenen Aussprachen ohnehin nur dann bereit, wenn er betrunken war. Er behauptete, er habe die Affäre beendet. Doch an Junes Schmerz und ihrer Wut änderte das nichts. June, die früher nie viel Alkohol getrunken hatte, begann regelmäßig zu trinken. „Irgendwann tranken wir beide täglich große Mengen Alkohol. Zum einen trank ich, weil ich herausgefunden hatte, dass er sich noch lange, nachdem er die Affäre angeblich beendet hatte, mit meiner Freundin traf, obwohl er das immer wieder leugnete. Ich konnte die Situation besser ertragen, wenn ich trank. Es betäubte den Schmerz. Erst einige Jahre später wurde mir bewusst, dass die Trinkerei mir überhaupt nicht half, sondern die Situation sich dadurch nur noch mehr zuspitzte."

Durch den Alkoholgenuss wurden Emotionen freigesetzt, und so etablierte sich ein Verhaltensmuster aus Trinken und endlosen Diskussionen. Wenn sie gemeinsam tranken, stritten sie sich. „Matthew ist ein äußerst intelligenter Mann mit einer scharfen Zunge. Er kann sehr verletzend sein. Immer wieder hielt er mir vor, ich sei unfähig, die Kinder zu erziehen; ich sei eine schlechte Mutter. Ich sei dick und unintelligent. Irgendwann glaubte ich ihm. Tatsächlich habe ich die Kinder allein großgezogen. Er war nie da, wenn wir ihn brauchten. Beruflicher Erfolg war sein einziges Ziel. Ich glaube, ich habe die Kinder nur aus einem Grund allein großgezogen: Ich wollte beweisen, dass ich es schaffe. Mein Mann hat mich während unserer Ehe systematisch demoralisiert."

Ein völlig unvorhergesehenes Ereignis löste eine Serie schmerzhafter Erlebnisse in Junes Leben aus. 1990 musste bei ihr dringend eine Hysterektomie vorgenommen werden. Während ihres Krankenhausaufenthalts brach der häusliche Haushalt zusammen. „Ich konnte das Chaos durchs Telefon hören. Meine Kinder kamen weinend zu mir. Es war ein einziger Alptraum." Bei ihrer Heimkehr fühlte sie sich zwar immer noch krank, doch sie stellte die häusliche Ordnung wieder her. Obwohl sie sich immer noch alles andere als gesund fühlte, ging sie sechs Wochen später wieder ihrem Beruf nach. Sie trank jedoch weiter und befehdete sich regelmäßig mit ihrem Mann. „Unsere endlosen Diskussionen hatten nichts, rein gar nichts gebracht. Wir drehten uns immer nur im Kreis. Nacht für Nacht wälzten wir dieselben Probleme, doch nichts geschah. Ich litt unter Anorexie. Das war der Punkt, an dem ich psychiatrische Hilfe in Anspruch nahm. Ich weinte unaufhörlich. Ein Jahr später hatte ich einen völligen Nervenzusammenbruch."

Ihr Arzt verschrieb ihr ein Antidepressivum. Sie besorgte sich zwar das Medikament, die Tabletten nahm sie jedoch nicht ein. Zwei Wochen später beschloss sie, die ganze Packung auf einmal zu schlucken. „Dann geht's dir besser. Dann ist es endlich vorbei und du kommst aus all dem raus." Aus heutiger Sicht betrachtet June ihren Selbstmordversuch als einen verzweifelten Hilfeschrei. Sie wurde daraufhin in eine psychiatrische Klinik eingewiesen. „Ich erinnere mich daran, dass es eine herrliche Sommernacht war. Ich hörte lautstark Musik. Damit muss ich die ganze Nachbarschaft geweckt haben. Im Krankenhaus haben sie sich dann um mich gekümmert. Sie brachten mich dazu, etwas zu essen. Hier lernte ich eine Alltagsroutine einzuhalten und nahm an einer Beschäftigungstherapie teil. Ich fühlte mich sicher und geborgen."

Sie musste zwar immer noch Antidepressiva einnehmen, doch die Weinkrämpfe hörten auf. Zum ersten Mal in all den Jahren übernahm Matthew die Verantwortung für das Geschehene. „Er wich nicht von meiner Seite. Doch mir war er inzwischen vollkommen egal. Es interessierte mich nicht mehr, was er fühlte oder wie er beeinflusste, wie ich mich fühlte. Mir war inzwischen bewusst geworden, dass ich meinen Kindern zuliebe weiterleben musste." Matthew hatte durch sein Verhalten zu Junes psychischem Zusammenbruch beigetragen. Junes Kollaps wiederum brachte Matthew einem Zusammenbruch nahe. Sie waren an einem Punkt anlangt, an dem sie beide ausgepumpt und völlig erschöpft waren. Ihnen blieb nur eine tiefe Trauer. Die Kinder waren erschüttert. Es war vorbei.

June fand eine Wohnung für Matthew und richtete sie gemeinsam mit einer ihrer Töchter für ihn ein. 1991 zog er aus dem gemeinsamen Haus aus.

Die Nachwirkungen ihrer Wut spielten eine große Rolle sowohl bei Junes Umgang mit der Trennung und deren Verarbeitung sowie für Junes weitere Zielsetzung. Langsam, Schritt für Schritt, musste sie die negativen Verhaltensmuster durch neue positive Verhaltensweisen ersetzen. Eine weitere Aufgabe war die Wiederherstellung ihres Selbstvertrauens. June hatte die negativen Verhaltensmuster so lange aufrecht erhalten, bis es nichts mehr zu zerstören gab. Dieses Verhalten wurde durch die „… bis dass der Tod euch scheidet"-Maxime unterstützt.

Warum hat June sich nicht scheiden lassen, als ihre Ehe nur noch aus Wut und Bestrafungen bestand, als die Krankheit ihren Organismus besiegte? „Für mich hat das Ehegelübde lebenslange Gültigkeit. Man geht mit seinem Partner durch dick und dünn. Ich hätte nie gedacht, dass ich mich jemals scheiden lassen würde." Dabei haben June und Matthew ihre Ehe im Lauf der Jahre systematisch zerstört. Jahrelang haben sie ihrer Wut freien Lauf gelassen; durch dick und dünn. Selbst lange nachdem der Zeitpunkt überschritten war, an dem ein Eheberater ihnen hätte helfen können oder sie ernsthaft über eine Trennung hätten nachdenken sollen, haben June und Matthew an ihren destruktiven Verhaltensmustern festgehalten.

Eine enge Beziehung bietet die besten Voraussetzungen zur gegenseitigen Zerstörung. Indem wir ein gewisses Maß an Selbstdisziplin an den Tag legen und unsere Wut zügeln, schützen wir uns selbst vor ernsthaften seelischen Verletzungen. Auf diese Weise sind wir in der Lage, uns dem bitteren Nachgeschmack der Wut, der uns andernfalls noch jahrelang an den Fersen heftet, zu entziehen.

Der Zwang zu verletzen

In der ersten Zeit nach der Trennung neigen wir am ehesten dazu, unserer Wut und unserem Ärger freien Lauf zu lassen. Gerade in diesem Zeitraum kann es passieren, dass im Grunde harmlose Ereignisse eine regelrechte Gefühlsexplosion zur Folge haben. In dieser Phase der Trennung wird uns bewusst, dass alle Versuche zur Rettung der Ehe gescheitert sind, und wir setzen uns zum ersten Mal mit all dem Schmerz auseinander, den der Partner uns im Lauf der Beziehung zugefügt hat. Zu diesem Zeitpunkt hegt selbst der friedfertigste Mensch ungeheure Rachegelüste. Unsere Beziehung ist vor unseren Augen zerbrochen und wir stehen vor den Trümmern. Irgendwer muss daran schuld sein und derjenige soll dafür bezahlen.

Nur zu leicht werfen wir unseren Verstand, unser besseres Wissen und unser besseres Selbst über Bord. Als Williams zweite Frau ihn verließ, empfand er eine unbeschreibliche Wut. Man hatte ihn zum zweiten Mal sitzen gelassen. William fühlte sich betrogen. Er hatte schließlich seinen Teil der Abmachung erfüllt: Er war ein guter Ehemann, Vater und Ernährer. Und zum Dank behandelte sie ihn wie den letzten Dreck. Sie hatte zwei Affären während ihrer Ehe und schließlich hat sie ihn auch noch verlassen. William berichtet: „Ich fühlte mich betrogen. Nach allem was ich für diese Frau getan hatte." William ist eigentlich ein „netter Kerl", ein freundlicher Mensch, der nicht zu unüberlegten Handlungen neigt. Doch nach der Trennung ließ er seinem Ärger freien Lauf. Er zettelte eine Hetzkampagne an und erzählte Freunden und Bekannten, jedem, der ihm zuhörte, was für ein schrecklicher Mensch Jacqueline doch sei.

Kurz nach der Trennung bot sich William eine Möglichkeit zum Vergeltungsschlag. Er besuchte ihre Eltern, um mit ihnen die Zukunft von Jacquelines Sohn zu besprechen. Ihr Vater wusste nichts von ihren Affären. Obwohl William Jacquelines Eltern nicht mit der Absicht aufsuchte, sie durch seinen Tatsachenbericht zu schockieren und gegen ihre Tochter aufzubringen, ertappte er sich dabei, wie er ihren Eltern alles brühwarm berichtete, einfach nur, um sich selbst besser zu fühlen. „Jacquelines Mutter war sehr enttäuscht von ihrer Tochter. Kurze Zeit später hatte Jacqueline einen Zusammenbruch und rief mich mitten in der Nacht an: ‚Du hast es ihnen erzählt. Sie wissen es. Sie

wissen alles.' An diese Worte werde ich mich immer erinnern. Ich hatte endlich das Gefühl, das Gleichgewicht sei
wiederhergestellt."

William fand weitere Wege, um für einen Ausgleich zu
sorgen. Er klagte Jacqueline in aller Öffentlichkeit dafür
an, dass sie ihn verlassen hatte. Er versuchte den Schmerz
durch eine neue Beziehung zu unterdrücken. Er erkämpf-
te sich das Sorgerecht für die Kinder und setzte eine Scheidungsvereinbarung auf. Auf kurze Sicht zeigte er durch
seine aggressive und konstruktive Vorgehensweise allen,
dass er die Situation unter Kontrolle hatte. Und hierfür tat
er alles in seiner Macht Stehende. Indem Jacqueline Ge-
fühlsreaktionen auf sein Verhalten zeigte, erhielt er eine
gewisse Befriedigung und fühlte sich mächtig. William
war nicht das alleinige Opfer. „Ich hatte keine Kontrolle
über meine eigenen Gefühle. Alles, was ich wollte, war,
dass dieser Schmerz endlich nachlässt", erklärte William.

William ging sehr schnell eine neue Beziehung ein.
Nach einer gemeinsamen Nacht mit seiner neuen Partnerin kochte sie am nächsten Morgen Kaffee und brachte
ihm das Frühstück ans Bett. Es war einer dieser wunderbaren innigen Momente im Leben eines Paares. Doch für
William war es eine einzige Qual. „Als sie aufstand und in
die Küche ging, brach ich in Tränen aus und schluchzte
vor Verzweiflung. Der Schmerz kam tief aus meinem Innern. Es überkam mich einfach. Ich konnte kaum sprechen. Als wir später ins Auto stiegen, konnte ich noch immer nicht aufhören zu weinen. Ich saß ungefähr zwei bis
drei Stunden einfach da und schluchzte unaufhörlich.
Meine Freundin blieb bei mir und legte ihren Arm um
meine Schultern. Alle meine Bekannten, Freunde und Verwandten waren davon beeindruckt, wie gut ich mit der
neuen Situation zurechtkam. ‚Wie gut er die Sache verar-

beitet hat …‘, war die einhellige Meinung. Tatsächlich wusste ich nicht einmal, was da tief in mir heranwuchs. Dieser Morgen war wie ein Dammbruch."

Wut und das Gefühl betrogen worden zu sein üben eine ungeheure Macht über uns aus. Diese Kräfte stellen eine Zerreißprobe für unsere Emotionen dar. Wir sind davon überzeugt, irgendetwas unternehmen zu müssen. Die tiefen inneren Verletzungen können der Auslöser für unseren Wunsch nach Vergeltung sein. Wir wollen das Gleichgewicht wiederherstellen; wir wollen Gerechtigkeit und wir wollen die Kontrolle über die Situation zurückgewinnen. In den meisten Fällen vergrößert der Weg, den wir dabei einschlagen, jedoch nur unser Leid. Wenn wir unsere Wut zügeln und uns nicht länger auf unseren Expartner als Erzeuger unserer Wut zu konzentrieren, vollbringen wir eine regelrechte Heldentat. Dann können wir uns nämlich auf unser Inneres konzentrieren und die Arbeit an der Basis aufnehmen.

Das heißt nicht, dass wir die „andere Wange hinhalten" sollen oder dass wir keine Opfer sind. Vielmehr müssen wir mit unserer Wut umgehen lernen. Wir müssen die Grundelemente dieses Gefühls im Zaum halten und in konstruktive Bahnen leiten. Nach einer Trennung sind wir auf uns allein gestellt. Unsere Partnerschaft ist jetzt nichts als eine leere Hülse, und diese Leere lässt sich nur zu leicht mit unserer unbändigen Wut ausfüllen. Wir müssen dieser Wut Grenzen setzen. Wir müssen erkennen, wann sie uns schadet und wann es an der Zeit ist, sie loszulassen.

Kurz nach seinem traumatischen Erlebnis erhielt William einen Anruf von einer ehemaligen Arbeitskollegin. Sie erkundigte sich nach seinem Befinden, und er schüttete ihr sein Herz aus. Sie machte ihm den Vorschlag, dass er einer Selbsthilfegruppe für von ihren Partnern verlas-

sene, geschiedene und betrogene Menschen beitreten solle. William erinnert sich: „Diese Gruppe hat mir sehr geholfen. Ich lernte mit meinem Schmerz umzugehen. Ich
erfuhr dort, was in mir vorging und warum das so war.
Durch die Selbsthilfegruppe bekam ich mein Leben wieder in den Griff. Ich durchlebte den ganzen Trennungs-
prozess erneut und war danach in der Lage, ein neues Leben zu beginnen. Eine solche Gruppe macht aus ihren
Mitgliedern wieder freie Menschen."

Das war auch bei William nicht anders. Er konnte sich
mit ihrer Hilfe von seiner grenzenlosen Wut und seinem
Kummer über den Betrug seiner Ehefrau befreien und ein
neues, freies Leben beginnen.

Der konstruktive Umgang mit Wut

Wer noch nie eine Trennung erlebt hat, hat keine Vorstellung von der Intensität und der Vielfalt der Gefühle, die
die Betroffenen durchleben. Jeder, der schon eine Trennung hinter sich hat, weiß, dass die Verletzungen und der
Schmerz einen Menschen zu den unmöglichsten Handlungen treiben können. Sie legen ein Verhalten an den
Tag, das Ihnen unter normalen Umständen nicht einmal
in den Sinn gekommen wäre. Diese unbändigen Gefühle
können auch Ihren Partner zu Taten veranlassen, die ihm
normalerweise nicht einmal im Traum einfallen würden.
Ihnen bleibt nichts anderes übrig, als fassungslos das zu
betrachten, was Ihr Partner angerichtet hat. Plötzlich stehen Sie vor einer Situation, die Sie sich selbst in Ihren
schlimmsten Alpträumen nicht hätten träumen lassen.

Doch es ist wirklich passiert und Sie befinden sich in
dieser Situation. Ihre Wut entwickelt sich zu einer ticken-

den Zeitbombe. Keine Frage, irgendwann geht diese Bombe hoch. Auf wen wollen Sie die Bombe werfen? Oder wollen Sie sie lieber in den Händen behalten? Sie fühlen sich hin- und hergerissen. Sie können die Bombe platzen lassen, Sie können die Gefühle in sich hineinfressen oder Sie können ihre explosive Fracht in Form von selbstzerstörerischen Gedanken und Selbstvorwürfen gegen sich selbst richten.

Erkennen Sie Ihre Wut als eine ehrliche und völlig gerechtfertigte emotionale Reaktion auf Ihre Situation an. Doch denken Sie daran, dass es von größter Bedeutung ist, wie Sie mit Ihrer Wut umgehen. Sie sind wütend – und wie! Doch müssen Sie deswegen weder sich selbst noch andere durch Ihre Attacken verletzen. Ein solches Verhalten unterwandert Ihre Integrität und blockiert den Genesungs- und Verarbeitungsprozess nach der Trennung. Wenn Sie Ihr aggressives Verhalten auch noch fördern, ist in den meisten Fällen eine tiefe Verbitterung die natürliche Folge. Erlauben Sie sich wütend zu sein. Erleben Sie Ihre Wut und leben Sie damit. Irgendwann werden Sie feststellen, dass Sie die Wut nicht mehr brauchen. Sie können dieses Gefühl loslassen. Erinnern Sie sich immer wieder daran, dass es sich hierbei um eine vorübergehende Phase handelt, ein notwendiger Schritt auf dem Weg zu sich selbst. Dieses Gefühl ist nichts weiter als Phase eines natürlichen Prozesses, den Sie durchleben müssen. Führen Sie sich immer wieder vor Augen, dass Sie sich weiterentwickeln und sich ein neues Leben aufbauen werden.

Sie müssen Wege finden Ihre Wut auszudrücken. Sie können Ihre Gefühle z.B. niederschreiben; ein Tagebuch kann hierbei sehr hilfreich sein. Malen und Zeichnen gelten ebenfalls als positive Formen des Selbstausdrucks.

Beim Tanzen können Sie Gefühle durch Ihren Körper ausdrücken. Die angestaute Wut lässt sich so auf wunderbare Weise verarbeiten. Wählen Sie eine Musik, von der Sie
sich durch Ihre Emotionen tragen lassen und dabei ent-
spannen können. Drehen Sie die Musik so laut auf wie
möglich und tanzen Sie.

Gespräche mit guten Freunden oder auch mit einem
Therapeuten sind ebenfalls äußerst hilfreich. Auf diese
Weise können Sie die aufgestaute Wut auf Ihren Expartner
sowie all die geschmiedeten Rachepläne in verbaler Form
ausdrücken. Sie sind sich selbst darüber bewusst, dass Sie
Ihre Fantasien weder ausleben sollten noch werden. Doch
selbst wenn wir nur darüber sprechen, verschafft uns das
ungeheure Erleichterung. Wenn Sie mit einem guten
Freund über Ihre Gefühle sprechen, vereinbaren Sie ein
Zeitlimit für dieses Gespräch. Während dieses Zeitraums
können Sie all Ihre Gefühle an die Oberfläche kommen
lassen. Seien Sie dabei sich selbst gegenüber ehrlich und
lassen Sie Ihren Emotionen freien Lauf. Werden Sie sich
über ihren Ursprung klar.

Seien Sie sich darüber im Klaren, dass Sie die Beziehung
nicht loslassen können, solange Sie Vergeltung suchen
und es Ihrem Expartner heimzahlen wollen. Richtig: Rache ist süß; doch irgendwann müssen Sie sich selbst die
Frage stellen, was Sie eigentlich wirklich wollen. Wut ist
eine wunderbare Sache und wenn unser Leben aus den
Fugen gerät, dient sie zunächst als Abwehr für unsere
Angst und unseren Schmerz. Doch auf der anderen Seite
behindert sie uns in unserer Entwicklung.

Die Suche nach einem Schmerzmittel

Sobald uns der Schmerz über die Trennung überkommt, suchen wir reflexartig nach irgendetwas, das den Schmerz betäubt. Alles, was wir wollen, ist, dass der Schmerz schnell nachlässt. Die Flut der Gefühle – Wut, Selbsthass, Minderwertigkeitsgefühle, Scham und Trauer – droht uns zu überwältigen. Wir brauchen ein Betäubungsmittel, das die Gefühle eine Zeit lang ausblendet, damit wir uns erst einmal von dem Schock erholen können.

William betäubte seinen Schmerz, indem er sich einen Ersatz für seine Frau besorgte. Eine neue Beziehung war nicht wirklich das, was er wollte. Er brauchte ein Pflaster, etwas, das seinem Selbstbewusstsein Auftrieb gab und die schrecklichen Gefühle der Wertlosigkeit, die ihn plagten, erstickte. Schließlich musste er erkennen, dass diese oberflächliche Lösung nicht lange funktionierte. Wenn er auch nur einen einzigen Schritt nach vorn machen wollte, gab es nur eine Lösung. Er musste sich umdrehen, in sich hineinhorchen und sich seinem Schmerz stellen.

Viele Menschen handeln nach einer Trennung etwas überstürzt und gehen sofort eine neue Beziehung ein. Indem sie sich unter die Menschen mischen und einen neuen Partner finden, beweisen sie sich selbst, dass sie aktiv werden und keine Probleme mit ihrer Situation haben. Die klaffende innere Wunde wird mit der Liebe und Zuneigung eines anderen Menschen notdürftig behandelt. Zumindest kurzfristig bietet der neuen Partner oder die neue Partnerin einen Schutz vor einer Konfrontation mit den natürlichen emotionalen Reaktionen auf eine Trennung.

Andere suchen Zuflucht im Alkohol, nehmen Drogen oder essen übermäßig viel. All diese Versuche dem

Schmerz zu entkommen sind eine Form der Selbstbestrafung, ja sogar der Selbstzerstörung. Sie haben versagt, Sie sind wertlos und verdienen eine gerechte Strafe. Ein weiterer Grund für diese Reaktionen liegt in dem Wunsch, den Expartner zu bestrafen; ganz egal, ob er weiß, was wir tun oder nicht. Er trägt die Verantwortung für unser jetziges Verhalten; also soll er sich auch schuldig fühlen. „Sieh her, was du mir angetan hast. Schau, was du aus mir gemacht hast. Du hast mich kaputtgemacht!"

Wir geben uns nur zu gern solchen Fantasien hin. Wir halten innerlich Zwiesprache mit unserem verlorenen Partner und verlieren dabei uns selbst aus den Augen. Bei dem Versuch unsere Gefühle und unsere Zukunftsängste zu betäuben kennen wir keine Hemmungen. Hierfür brauchen wir keinerlei Unterstützung. Wir können uns allein betrinken, uns mit Lebensmitteln voll stopfen oder uns mit Drogen voll pumpen. Man hat uns verletzt und wir brauchen einen Zufluchtsort, an dem wir unsere Wunden lecken können. Doch im Gegensatz zum Einsiedlerkrebs fehlt uns die Schale, die uns vor der Außenwelt schützt. Darum tröstet sich jeder von uns in dieser Situation auf seine eigene Art und Weise.

Kein Mensch – ohne Ausnahme – in dieser Situation ist gefeit vor den oben genannten Reaktionsmechanismen. Caroline suchte nach ihrer Trennung von Tom Trost im Alkohol. „Ich habe mich in meinem ganzen Leben noch nie so als Versager gefühlt. Ich habe wirklich viel getrunken. Ich wollte den Schmerz betäuben. Wenn ich nichts getrunken habe, konnte ich nicht schlafen. Ich ging auch nicht zum Arzt. Ich wollte einfach nur dasitzen und eine Flasche Wein nach der anderen trinken. Der Alkohol war meine Krücke", erinnert sie sich. Schon während ihrer Ehe hatte Caroline auffällige Trinkgewohnheiten entwickelt. Begonnen hatte es, als Matthew regelmäßig zu trinken anfing und sie es für eine gute Idee hielt mitzumachen. Auch nach ihrem Zusammenbruch trank sie weiter. „Es war schrecklich. Du wachst auf und fühlst dich grauenhaft. Die Trinkerei war zudem noch ziemlich teuer. Außerdem ist es vollkommen sinnlos. Denn solange man trinkt, erreicht man gar nichts."

Solch exzessives Verhalten ist kurz nach der Trennung durchaus verständlich. Wenn wir ehrlich sind, lässt sich das sogar kaum vermeiden. Problematisch wird es, wenn die Situation ausufert. Dauert unser Fluchtverhalten, egal welche Form wir gewählt haben, übermäßig lang, sollten bei uns die Alarmglocken läuten. Wenn wir übermäßig essen oder Alkohol trinken und nach einigen Wochen oder gar Monaten nicht mehr damit aufhören können, haben wir ein ebenso gefährliches wie schädliches Verhaltensmuster entwickelt. Versuchen Sie Ihre eigene Entwicklung ehrlich einzuschätzen. Haben Sie rapide zugenommen oder an Gewicht verloren? Wie häufig trinken Sie und wie viel? Beeinträchtigt der Alkoholkonsum Ihre Fähigkeit, Ihren Beruf auszuüben oder Ihre alltäglichen Pflichten zu erledigen? Spüren Sie einen unbändigen Drang zu essen oder Alkohol zu trinken? Haben Sie vielleicht sogar das Gefühl, die Kontrolle verloren zu haben?

Für den Fall, dass Sie eine dieser Fragen mit Ja beantworten müssen, geraten sie nicht in Panik. Jedes Verhaltensmuster lässt sich ändern und jeder Teufelskreis kann durchbrochen werden. Negative Formen der Stressbewältigung sind nichts weiter als ein Versuch, mit einer traumatischen Erfahrung oder mit großen Problemen fertig zu werden. Es handelt sich lediglich um Symptome. Und Symptome lassen sich behandeln. Wir müssen sie lediglich durch positive Formen der Stressbewältigung ersetzen. Sollten Sie feststellen, dass Sie solch ein negatives Verhaltensmuster entwickelt haben, suchen Sie einen Therapeuten auf und sprechen Sie offen über Ihre Schwierigkeiten. Geben Sie ehrlich zu, wie groß das Ausmaß Ihres „Fehlverhaltens" ist und wie lang dieses Problem schon besteht. Nehmen Sie Medikamente nur unter ärztlicher Aufsicht ein. Seien Sie nicht zu streng mit sich selbst. Ihr Verhalten ist kein Zeichen von Schwäche. Sie wären überrascht, wenn Sie wüssten, wie viele Menschen mit ganz ähnlichen Problemen zu kämpfen haben.

Entwickeln Sie persönlich positive Verhaltensweisen und ersetzen Sie dadurch Ihre herkömmlichen Verhaltensmuster. Fragen Sie einen oder zwei Ihrer Freunde, ob Sie sich dazu bereit erklären, Ihnen für einen gewissen Zeitraum zur Seite zu stehen und mit Ihnen gegebenenfalls zu jeder Tages- und Nachtzeit über Ihre Probleme zu sprechen. Bitten Sie sie um Trost und Unterstützung. Versuchen Sie Ihre Gefühle durch eine der zuvor erwähnten Formen konstruktiv auszudrücken. Schreiben Sie auf, was Sie empfinden, oder tanzen Sie zu einer Musik ihrer Wahl. Denken Sie daran, dass Alkoholgenuss Depressionen in der Regel nur noch verschlimmert. Verzichten Sie auf Alkohol und verschaffen Sie sich stattdessen etwas Bewegung. Niemand verbietet Ihnen zu essen, was Sie mögen, oder bei Gelegenheit ein Gläschen Alkohol zu trinken. Wichtig ist nur, dass Sie das richtige Maß finden.

„Ich will allein sein"

Verletzte Tiere ziehen sich grundsätzlich in ein Schlupfloch zurück. Menschen verhalten sich ganz ähnlich. Wir fliehen ebenfalls und ziehen uns für einen gewissen Zeit-

raum zurück. Während dieser Zeit versuchen wir uns zu
betäuben oder sogar selbst zu bestrafen. Wir haben versagt. Unsere Ehe ist zerbrochen und wir haben nicht nur
unsere Beziehung, sondern auch unsere Identität verloren. Wir wissen nicht einmal mehr, wer wir eigentlich
sind. Wir fühlen uns verwirrt und verängstigt. Wie sollen
wir uns verhalten? Was sollen wir tun? Wir fühlen uns erniedrigt und schämen uns für das, was uns passiert ist.
Wenn wir die Kontrolle über unsere eigene kleine Welt
verlieren, fühlen wir uns häufig so unsicher und hilflos
wie ein kleines Kind.

Doch wo können wir Sicherheit und Geborgenheit finden? Eine der häufigsten Reaktionen auf eine Trennung
ist ein selbst auferlegtes Exil. Wir ziehen uns von der
Außenwelt zurück. Zum Schutz vor weiteren Verletzungen begeben wir uns, ähnlich dem Einsiedlerkrebs, auf
die Suche nach einer schützenden Hülle. Nirgendwo
fühlen wir uns so sicher und geborgen wie zu Hause. Das
Gefühl der Geborgenheit in unseren eigenen vier Wänden
erfüllt eines unserer wichtigsten Bedürfnisse – das Bedürfnis nach Sicherheit. Das Zuhause bietet diese Sicherheit und Schutz. June braucht auch heute noch, fünf Jahre
nach der Trennung, einen Ort, an den sie sich zurückziehen kann. „Ich werde wohl immer etwas von einer Einzelgängerin an mir haben. Es gibt auch Momente, in denen ich mich schrecklich einsam und verlassen fühle.
Doch im Großen und Ganzen bin ich gern allein. Ich will
einfach nicht noch einmal verletzt werden."

Obwohl Caroline den Kontakt zu ihren Freunden und
Bekannten nach der Trennung nicht völlig abgebrochen
hat, hatte auch sie, gerade in der ersten Zeit, das Bedürfnis sich zu verkriechen. „Ich wollte einfach nur allein sein.
Mich einigeln. Ich habe vollkommen instinktiv gehandelt.

Ich hatte den Impuls mich zu verstecken und meine Wunden zu lecken." Das Bedürfnis, sich nach einer traumatischen Erfahrung „einzuigeln" ist vollkommen natürlich. Wir wollen nichts, als uns von dem Schlag zu erholen. Doch da wir uns als Versager fühlen, schämen wir uns und scheuen den Kontakt mit der Außenwelt. Wenn dieses nicht greifbare Etwas, das einmal unsere Beziehung war, nicht mehr existiert, suchen wir in materiellen und greifbaren Dingen nach Sicherheit. In dieser Situation bieten sich unser Zuhause, die bekannten vier Wände, die Steine, der Mörtel und das Dach über unserem Kopf an.

Das Risiko, dass sich dieser Rückzug über einen zu langen Zeitraum erstreckt, ist jedoch relativ hoch. Zu einem Zeitpunkt, an dem wir mehr denn je auf emotionale Unterstützung und Beistand angewiesen sind, nämlich dann, wenn uns der Strudel unserer Gefühle mitreißt, brechen wir den Kontakt zur Außenwelt ab. Daher lauert in diesem Rückzug eine Gefahr: Wir können das Opfer unserer eigenen Emotionen werden. Wir suhlen uns in unseren Gefühlen, wir tauchen darin ab und lassen uns schließlich von ihnen überwältigen.

Wenn wir überleben wollen, müssen wir unbedingt einen Ausgleich schaffen. Machen Sie sich deutlich, dass Sie die Gesellschaft anderer Menschen brauchen: Menschen, die Ihnen Liebe und Trost entgegenbringen. Ihre Gefühle haben nicht immer dieselbe Intensität. Vergleichen Sie sie einfach mit den Gezeiten. So wie das Wasser durch Ebbe und Flut steigt oder sich zurückzieht, brechen die Wogen Ihrer Gefühle immer wieder über Sie herein. In dieser Gleichung bildet das Ufer eine konstante Größe. Es ist immer da. Sie sind dieses Ufer. Auch wenn Sie sich sehr verletzlich fühlen und Angst vor weiteren Verletzungen haben: Lassen Sie sich von denen, die Sie lieben, doch einfach moralisch aufbauen. Überlegen Sie sich genau, wem Sie Einlass in Ihren Mikrokosmos gewähren. Sie wollen wieder auf die Beine kommen; also scheuen Sie nicht davor zurück um Hilfe zu bitten, wenn Sie Hilfe brauchen.

Wenn die Zeit reif ist, machen Sie sich das größte Geschenk, das Sie sich machen können. Befreien Sie sich von den Ketten Ihrer negativen Gefühle und lassen Sie sie hinter sich. Blicken Sie nach vorn und machen Sie sich auf zu neuen Ufern.

5

Kinder

Mein Sohn David leidet immer noch unter der Scheidung, obwohl sie schon sechs Jahre zurückliegt. Er hat sich damals völlig in sich selbst zurückgezogen. Er hat vier oder fünf Jahre lang kaum gesprochen. Es war, als käme er vom Planeten „David". Er war der einzige Bewohner dieses Planeten und kehrte nur zum Essen bei mir ein.

William, 50, geschieden

Kinder haben wenig oder auch gar keine Kontrolle über ihre Umwelt. Sie betrachten die Erwachsenen in ihrer Umgebung als Herrscher ihres kindlichen Universums. Erwachsene geben ihrem Leben eine Struktur, geben ihnen ein Gefühl der Sicherheit und bieten ihnen seelische und emotionale Geborgenheit. Selbst die besten Eltern degradieren ihre Kinder durch eine Scheidung oftmals zu stummen Opfern.

Während der Trennung von unserem Partner sind wir vollkommen in diesen Prozess eingebunden. Wir müssen all unsere Kräfte mobilisieren, um die Scheidung mental und emotional zu verarbeiten. Wir kämpfen um unser Überleben. Während wir uns darum bemühen, die Scherben unseres eigenen Lebens wieder zusammenzusetzen, sind wir kaum in der Lage, unseren Kindern die notwendige Unterstützung zu bieten, geschweige denn ihren Bedürfnissen gerecht zu werden. Dann, wenn sie uns am meisten brauchen, befinden wir uns an einem absoluten Tiefpunkt und sind selbst auf Unterstützung angewiesen. Auch wir sind nur Menschen und keine Götter. Doch für unsere Kinder sind wir gottähnliche Wesen. Sie sind fest davon überzeugt, dass ihr Schicksal in unseren Händen liegt. So schwierig und schmerzhaft die Trennung für uns auch sein mag, wir müssen unseren Kindern mit gutem Beispiel vorangehen. Und wir müssen alles dafür tun, zumindest unseren Kindern in dieser Phase ein Gefühl der Sicherheit und Geborgenheit zu vermitteln.

Für die Kinder ist unser Umgang mit der Trennung von größter Bedeutung. Oberflächlich betrachtet übernehmen sie bei diesem für uns Erwachsene traumatischen Erlebnis die Rolle der Beobachter. Sie lassen sich jedoch nicht auf diese Rolle beschränken; auch sie fühlen, sehen und erleben intensive emotionale Reaktionen. Als erwachsene Menschen verfügen wir über einen großen Erfahrungsschatz und können besser mit der Situation umgehen. Wenn Sie schon glauben, es sei so gut wie unmöglich, mit dem überwältigenden und traumatischen Erlebnis der Trennung fertig zu werden, dann versetzen Sie sich doch einmal in die Lage Ihrer Kinder! Ihre heile kleine Welt liegt in Trümmern vor ihnen und sie haben keine Möglichkeit, den Schmerz zu bewältigen.

Aus Angst vor Gewissensbissen verdrängen wir nur zu gern die Gedanken an unsere Kinder. Die Einsicht, dass sie unter dem von uns und unserem Partner produzierten Trauma leiden, führt zu weiteren Schuldgefühlen. Wir sehen uns als noch größere Versager. Natürlich sind Sie ebenso verletzlich wie Ihre Kinder: Sie fühlen sich der Situation hilflos ausgeliefert und haben die Orientierung verloren. Wie sollen Sie Ihren Kindern beistehen, wenn Ihr Selbstbewusstsein am Nullpunkt angelangt und Ihre Willenskraft erschöpft ist?

Zunächst einmal müssen Sie die Realität akzeptieren. Unterschätzen Sie niemals die Auswirkungen einer Trennung auf die Kinder. Wenn Sie diese Tatsache anerkennen, können Sie Ihren Kindern dabei helfen, sich der Situation anzupassen. Es liegt in unserer Macht, unsere Kinder vor ernsthaften seelischen Schäden zu schützen, indem wir konstruktive Schritte unternehmen. Wenn Ihre Kinder beobachten, dass Sie sich von den Tatsachen nicht überwältigen lassen und die Situation meistern, werden sie Ihrem Verhalten nacheifern. Eine starke Bindung zwischen den Kindern und ihren Eltern während und nach der Scheidung beugt einem erneuten Ausbruch des erlebten Traumas beim Heranwachsen der Kinder vor. Verhindern Sie durch Ihr Verhalten, dass die Wunden Narben zurücklassen. Auch wenn es Sie eine enorme Willensanstrengung kostet, Ihren Kindern in dieser Zeit die erforderliche Aufmerksamkeit entgegenzubringen, so sollten Sie nichts unversucht lassen, um dieser Aufgabe gerecht zu werden. Helfen Sie Ihren Kindern, die Situation zu meistern.

Wenn Kinder zu Opfern werden

Bei einer Trennung werden unsere Kinder auf verschiedenste Art und Weise in unsere Wut einbezogen. Wir sollten jedoch alles in unserer Macht Stehende tun, um sie nicht zum Spielball unserer Gefühle zu machen. Kinder, die Zeuge der Auseinandersetzungen zwischen ihren Eltern werden, beobachten einen Kampf der Giganten. In ihrer Welt erscheint alles übergroß und der Streit zwischen den Eltern kann zu einer der schlimmsten Erfahrungen ihres ganzen Lebens werden. Ihre Welt verwandelt sich vor ihren Augen in einen Trümmerhaufen. Die gescheiterte Beziehung der Eltern hinterlässt einen bleibenden Eindruck, unter dessen Einfluss die Kinder unter Umständen ihr Leben lang zu leiden haben.

Ein Kind ist nicht in der Lage, all die Diskussionen, Diskrepanzen und Wutausbrüche während der Trennung und in der Zeit danach zu verstehen. Ihm ist es unbegreiflich, warum seine Eltern die Kontrolle über ihre Gefühle verlieren. Wir müssen uns jedoch immer darüber im Klaren sein, dass unsere Kinder unsere Wut in all ihren Variationen wahrnehmen und bleibende Schäden davontragen können.

Auch wenn June betont, dass sie sich mit ihrem Mann so gut wie nie vor den Kindern gestritten hat, wurden sie in den Teufelskreis dieser Beziehung eingebunden. „Wir haben unsere Diskussionen immer bis zum späten Abend hinausgezögert. Trotzdem müssen sie etwas gespürt haben. Sie gingen grundsätzlich früh auf ihre Zimmer und blieben dort bis zum nächsten Morgen. Ich fürchte, eine Zeit lang haben wir sie sehr vernachlässigt. Wir haben uns so aufgeführt, als wären sie nicht vorhanden." Erst als June von ihrem Krankenhausaufenthalt zurückkehrte, erkannte sie, welche Spuren ihr Kampf mit Matthew bei den Kindern hinterlassen hatte. Sie musste ihnen wieder und wieder versichern, dass jetzt alles gut würde.

Erst nachdem June sich von ihrem Nervenzusammenbruch erholt hatte, wurde ihr bewusst, dass sie und ihr Mann durch ihr Verhalten den Kindern schadeten. „Ich erholte mich nach und nach und konnte schließlich wieder nach Hause zurückkehren. Ich hatte meine Kinder völlig durcheinander gebracht. Erst da erkannte ich, was wir unseren Kindern antaten. Eine meiner Töchter war mit Pauken und Trompeten durchs Abitur gefallen und meine andere Tochter war durch uns beide zu einem psychischen Wrack geworden. Das war der Punkt, an dem wir uns endgültig getrennt haben." Es dauerte lange Zeit, bis die Wunden ausheilten. Heute sind die Kinder wieder völlig ausgeglichen. Doch von Zeit zu Zeit erkennt June noch immer die Auswirkungen ihres jahrelangen Kampfes mit Matthew, von Matthews Kritiksucht und seinem aggressiven Verhalten.

Manipulation ist eine weitere Möglichkeit, die Kinder in die Streitigkeiten mit unserem Expartner zu verwickeln. Dieses Verhalten lässt sich häufig in den Monaten und Jahren nach der Scheidung beobachten. Wir benutzen unsere Kinder, je jünger desto besser, um Macht über unseren früheren Partner auszuüben. Wir missbrauchen sie als Waffen für unseren Kampf um jeden Zentimeter des gegnerischen Terrains. Je älter die Kinder sind bzw. werden, desto eher neigen wir dazu, sie als Verbündete einzubeziehen, ohne dass sie wissen, was mit ihnen geschieht. Wir füttern sie mit selektiven Informationen. Wir nennen ihnen tausend Gründe, warum sie unseren früheren Partner verachten sollten. Wir scheuen auch nicht davor zurück, unsere Kinder als psychologische Waffen einzusetzen und durch sie zumindest einen letzten Rest von Kontrolle über das Leben unseres Expartners auszuüben.

Als Sara 1977 ihren Mann George verließ und aus dem gemeinsamen Haus auszog, verließ sie auch ihre damals sechsjährige Adoptivtochter Kirsty. „Ich habe meinen Mann verlassen und nicht einmal mein Kind mitgenommen. Ich musste mir von anderen Menschen oft anhören, dass sie das niemals tun könnten. ‚Ich könnte mein Kind niemals verlassen' – ich weiß nicht mehr, wie oft ich diesen Satz schon gehört habe. Ich habe meine Tochter zurückgelassen, weil ich nicht für sie sorgen konnte. Bei meinem Auszug hatte ich kaum Geld in der Tasche und lebte danach in einer kleinen Ein-Zimmer-Wohnung." Sara wollte das Leben ihrer Tochter nicht völlig durcheinander bringen. Kirsty sollte morgens in ihrer gewohnten Umgebung aufwachen und weiterhin ihren vertrauten Kindergarten besuchen. Saras Absichten waren wirklich lobenswert, doch sie erfuhr durch ihre Entscheidung nur zusätzlichen Schmerz. George war außer sich: Seine Frau hatte ihn verlassen. Sie hatte ihn betrogen. Seine Wunden waren frisch und er konnte nicht anders; er wollte Rache.

Ihre Scheidungsvereinbarung sah vor, dass Sara ihre Tochter jedes zweite Wochenende zu sich nehmen sollte. Weiterhin sollte sie einen halben Tag pro Woche in Kirstys Kindergarten arbeiten, um in ihrer Nähe zu sein. Etwa alle 14 Tage, kurz vor Saras „freiem Wochenende", rief George regelmäßig bei Sara an und forderte sie auf, sich doch am Wochenende bitte um ihre Tochter zu kümmern. Häufig hatte Sara sich schon etwas vorgenommen und lehnte Georges Vorschlag ab. Woraufhin George ihrer gemeinsamen Tochter erzählte: „Mami will dich nicht." Auf diese Weise verunsicherte er Kirsty nur noch mehr: Ihre Mami war von zu Hause ausgezogen und jetzt wollte sie sie gar nicht mehr.

Für Kinder spielen Scheidungsvereinbarungen oder Besuchsregelungen keine Rolle, wenn sie sich die Frage stellen, ob ihre Eltern sie noch lieben. Sie können sich nicht wehren, wenn ihre Eltern sie für ein grausames Spiel der Manipulation wie Schachfiguren missbrauchen. Das Kreuzfeuer ihrer Eltern verursacht bei ihnen Verwirrung und tiefe innere Verletzungen.

Sara erinnert sich: „Kirsty war völlig durcheinander. Ihr Bild von ihrer Mutter war zerstört. Zur selben Zeit holte ich zum Vergeltungsschlag aus und machte sie zum Opfer. Ich fragte sie: ‚Was hat Papa gesagt?' Und dann legte ich los: ‚Nein, das stimmt nicht. Ich erzähle dir jetzt mal die Wahrheit.' Ich berichtete ihr, was George mir angetan hatte und dass ich nur wegen ihm gegangen bin. Ich erklärte ihr, dass er mich manipuliert hatte und dass sie sich vor ihm in Acht nehmen solle. Das war ein großer Fehler. Dieser Vorfall hinterließ bei ihr einen bleibenden Schaden. Wir hätten wirklich vernünftig genug sein müssen, um unsere Tochter da herauszuhalten."

Kirsty ist heute 23 und hat inzwischen eine enge Beziehung zu ihrer Mutter. Doch Sara weiß, dass es ihrer Tochter besonders in ihren Beziehungen an Selbstsicherheit mangelt. Sie ist sicher, dass George und sie einen Großteil der Verantwortung dafür tragen. Kirstys Unsicherheit ist die bittere Frucht, die Sara und ihr Mann in dem Bemühen, sich nach der Trennung gegenseitig auszupunkten, gesät haben. Doch diese Samen haben noch weitere Früchte getragen. Jahre nachdem Sara und George ihre Tochter für ihre gegenseitigen Manipulationen benutzt hatten, Jahre nachdem sie Kirsty missbraucht hatten, um sich gegenseitig zu schaden, fiel dieses Fehlverhalten in Form von schrecklichen Schuldgefühlen auf Sara zurück. Sara betrachtet sich als die Verantwortliche für die Probleme ihrer Tochter. Diese Schuldgefühle gegenüber Kirsty, einer inzwischen erwachsenen Frau, wird ihre Mutter wohl für den Rest ihres Lebens nicht ablegen können.

Wir müssen andere Wege finden, um unserer Wut Luft zu machen. Die Kinder dürfen unter keinen Umständen in den Kampf gegen unseren Expartner einbezogen werden. Missbrauchen wir die Kinder für unsere Rachefeldzüge, verursachen wir ihnen unnötiges Leid. Die Folgen sind Verwirrung und Unsicherheit. Wir suggerieren den Kindern auf diese Weise, dass sie sich schuldig machen, wenn sie weiterhin beide Elternteile lieben. Versuchen die Kinder jedoch sich für einen der beiden zu entscheiden, fühlen sie sich als Verräter.

Durch unsere Kinder sind wir zwangsläufig auf die eine oder andere Art an unseren Expartner gebunden. Natürlich können wir unseren ehemaligen Partner sein Leben lang bestrafen. Doch unseren Kindern verwehren wir dadurch ihr natürliches Recht, eine innige Beziehung zu beiden Elternteilen aufrechtzuerhalten. Auf kurze Sicht verschafft uns dieses Vorgehen vielleicht eine gewisse Befriedigung. Andererseits fallen unsere negativen Verhaltensmuster auch auf unsere Kinder zurück. Auf diese Weise schaffen wir einen Teufelskreis: Wir etablieren ein negatives Verhaltensmuster im Leben unserer Kinder, dem sie sich zumeist auch als Erwachsene nur schwer entziehen können. Häufig wiederholen und reproduzieren sie unser Verhalten in ihren eigenen Beziehungen.

Verhalten Sie sich Ihren Kindern gegenüber fair und ersparen Sie sich und ihnen spätere Verbitterung. Wenn Sie sich Sorgen um Ihre zukünftige Sicherheit machen, lassen Sie Folgendes nicht außer Acht: Zwischen Verbitterung und Wut, zwischen Vergeltung und Fairness bestehen himmelweite Unterschiede. Aus Rücksicht auf Ihre Kinder sollten Sie in dieser Situation auf den Einsatz von Waffen verzichten. Handeln Sie vernünftig und vorausschauend, verwenden Sie Werkzeuge in Form von klaren Vereinbarungen. Wenn wir uns mit unserem Expartner zusammensetzen und bedeutende, für die folgenden Jahre gültige Entscheidungen treffen, sind Wut und Rachegelüste fehl am Platze. Die getroffenen Vereinbarungen sind schließlich von größter Bedeutung, sowohl für unser weiteres Leben als auch für die Zukunft unserer Kinder.

So schwer es Ihnen auch fallen mag: Wenn Kinder beteiligt sind, ist dem Wohl der Kinder sowohl während als auch nach der Trennung höchste Priorität einzuräumen.

Wie Sie Ihre Kinder vor den Folgen der Wut schützen

Ganz egal, wie groß seine Wut auch war, William verfügte über die Weitsicht, die Kinder nicht für seinen Rachefeldzug zu missbrauchen. Er hatte das Sorgerecht erhalten und es wäre ein Leichtes gewesen, seinen Einfluss auf sie für seine Zwecke zu nutzen. Als Tochter Rachel zehn Jahre alt war, unterhielt er sich mit ihr ganz offen über das Thema. Er erklärte ihr: „Ich weiß nicht genau, warum deine Mutter und ich uns getrennt haben, doch ich fange an zu begreifen. Eines kann ich dir aber versichern: Deine Mama liebt dich. Deine Mutter mag keinen Streit. Sie kann Missverständnisse einfach nicht ertragen. Vielleicht hatte sie Angst vor einer Auseinandersetzung und ist lieber gegangen, als sich mit mir zu streiten. Sie hat getan, was sie tun musste. Sie hat dich nicht verlassen, weil sie dich nicht mehr lieb hat. Sie ist gegangen, weil sie einfach nicht um dich kämpfen konnte."

Er zeigte ihr einen Artikel über menschliche Charaktere, der sehr gut auf Jacqueline zutraf. „Der Bericht handelte von Menschen, die aus Angst vor Auseinandersetzungen ihre Ehe, ihre Kinder und sogar sich selbst opfern, ohne sich dessen wirklich bewusst zu sein", erinnert sich William. Rachel las den Artikel und sagte dann: „Papa, das heißt ja, dass Mama uns immer noch lieb hat. Sie hat uns gar nicht verlassen, weil sie uns nicht mehr liebt." Später erklärte sie ihm: „Wenn ich bei Mama bin, ist da mein Zuhause. Wenn ich bei dir bin, ist hier mein Zuhause." „Das war der Punkt, an dem ich die weiße Flagge hisste. Die Worte meiner Tochter nahmen mir einen Großteil der Wut", erklärt er liebevoll.

Wenn Sie sich schon zu lautstarken Auseinandersetzungen vor den Augen Ihrer Kinder haben hinreißen lassen, hören Sie augenblicklich auf damit. Treffen Sie eine feste Abmachung mit ihrem Expartner. Verhindern Sie ab sofort, dass Ihre Kinder Zeugen einer Auseinandersetzung zwischen Ihnen beiden werden. Halten Sie den Schaden, den Ihre Kinder erleiden, in Grenzen und sprechen Sie mit Ihnen über das, was passiert. Fragen Sie Ihre Kinder, was sie empfinden. Beruhigen Sie sie und vermitteln Sie ihnen ein Gefühl der Geborgenheit. Wenn Sie der Meinung sind, Ihre Kinder bräuchten psychiatrische Hilfe, schlagen Sie ihnen einen gemeinsamen Besuch bei einem Therapeuten vor. Wenn Ihre Kinder erkennen, dass Sie und Ihr Expartner konstruktiv mit der Trennung und den damit zusammenhängenden Veränderungen umgehen, werden sie die Situation akzeptieren und positiv darauf reagieren.

Wenn Sie von Ihren Kindern emotional abhängig sind

Während der Trennung und in der Zeit danach sind wir auf unsere Kinder so angewiesen, als wären sie Erwachsene. Wir hoffen auf ihre Loyalität und zehren von ihrer Energie. Mit unserem Partner verlieren wir den wichtigsten Halt in unserem Leben. Die sichere Struktur unserer Beziehung hat sich in nichts aufgelöst. Wir bleiben zurück, verunsichert und verängstigt. In diesem Zustand ist es nur natürlich, dass wir verzweifelt nach einem anderen Halt suchen. Jemanden, der immer da ist – unsere Kinder.

Die inzwischen 59-jährige Vicky war 31 Jahre lang verheiratet. 1988 erfuhr sie, dass ihr Mann Bill eine andere

Frau hatte. Als sie die Affäre entdeckte, dachte sie, die Welt gehe unter. „Ich war schockiert. Ich hatte das Gefühl, mir würde der Boden unter den Füßen weggezogen. Ich musste etwas unternehmen. Ich wollte mehr über dieses Verhältnis herausfinden. Ich ging spazieren und nahm meine Umwelt dabei überhaupt nicht wahr. Ich erinnere mich nur noch, dass es ein schöner warmer Tag war. Ich konnte nur den einen Gedanken fassen: ‚Wie kann dieser Tag so herrlich sein, wenn doch meine Welt in Trümmern vor mir liegt?'"

Bill verließ seine Frau, doch Vicky war dieser Gedanke unerträglich. Nachdem sie so viele Jahre in ihre Ehe investiert hatte, wollte sie retten, was noch zu retten war. Koste es, was es wolle. Bill konnte sich nicht dazu durchringen, die Trennung amtlich zu machen und die Scheidung einzureichen. Aus diesem Grund schlug Vicky ihm vor, hin und wieder ein gemeinsames Wochenende zu verbringen. An diesen Tagen taten sie so, als sei nichts geschehen, und lebten wie Mann und Frau zusammen. Doch Bill kehrte jedes Mal zu seiner neuen Partnerin zurück. Vier Jahre lang klammerte Vicky sich an die Hoffnung, dass Bill schließlich doch noch zu ihr zurückkommen würde. Erst als er Vicky dazu aufforderte, ihm ihren Anteil an dem gemeinsamen Haus zu überschreiben, realisierte sie, dass er nie zu ihr zurückkehren würde und sie darüber hinaus jetzt nicht einmal mehr ein Dach über dem Kopf hatte. 1992 nahm sie sich einen Anwalt und reichte die Scheidung ein.

Vicky und Bill haben sechs Kinder. Die beiden jüngsten lebten noch zu Hause, als Bill auszog. Tim war gerade zehn Jahre alt und Greg im Teenageralter. Die vier Jahre, in denen Vicky die Scheidung hinauszögerte, waren für sie und die Kinder von entscheidender Bedeutung für ihr späteres Leben. Nachdem Bill sie verlassen hatte, konzentrierte sie ihre Aufmerksamkeit verstärkt auf Greg und zehrte von seiner Zuneigung. „Mein Sohn hat mir wirklich sehr geholfen. Bei ihm fühlte ich mich geborgen und ich fürchte, ich habe ihm eine Menge abverlangt. Ich glaube nicht, dass ich zu diesem Zeitpunkt dazu in der Lage gewesen wäre, mich anders zu verhalten. Durch die Trennung hatte sich nicht viel verändert. Ich war nach wie vor Hausfrau und Mutter. Immer wieder fragte ich Greg: ‚Glaubst du, dass er zurückkommt?' Und jedes Mal gab er mir die gleiche Antwort: ‚Er kommt ganz bestimmt zurück.' Dann war ich glücklich. So übertrug ich meinem Sohn die Verantwortung für einen reibungslosen Ablauf unseres Alltags."

Vicky erkannte, dass sie sich selbst nicht helfen konnte. Sie konzentrierte sich vollkommen auf ihre Kinder. In einer Welt voller Unwägbarkeiten, in der sie Sinn und Ziel ihres Lebens – ihre Ehe – verloren hatte, klammerte sie sich an den einzigen Halt, der ihr geblieben war – ihren Sohn. Woher sollte Greg wissen, ob sein Vater zurückkommen würde? Er sagte es nur, damit seine Mutter sich besser fühlte. Doch wie fühlte sich Greg in dieser Situation? Brauchte nicht auch er Unterstützung und Geborgenheit? Hatte er nicht auch eine ganze Menge Fragen? War er nicht verunsichert?

Wenn unsere Beziehung scheitert, empfinden wir das als großen Verlust. Wir fühlen uns verletzt. In der Regel sind Kinder nicht der Grund für eine Beziehung, sondern das Resultat. Sie sind das lebende Ergebnis unserer Partnerschaft. Wir haben das Gefühl, die Trennung würde in erster Linie uns selbst betreffen und unsere Kinder hätten wenig damit zu tun. Während des Trennungsprozesses und in der Zeit danach konzentrieren wir uns vorwiegend auf uns selbst. Wir wollen nichts als überleben. Dieser Überlebenskampf zehrt an unseren psychischen und physischen Reserven. Wir haben gar nicht die nötige Kraft, um uns mit der Frage zu beschäftigen, ob unsere Kinder nicht genauso unter der Trennung leiden wie wir. Wir müssen uns dieser Tatsache jedoch stellen. Andernfalls besteht die Gefahr, dass wir sie überbeanspruchen, sie nicht aus den Augen lassen und ihnen so eine wirkliche Beziehung zu unserem ehemaligen Partner verwehren. Denn sie sind alles, was uns geblieben ist. Sie geben uns die Sicherheit geliebt zu werden. Auf gar keinen Fall wollen wir sie verlieren.

Wenn wir unsere Kinder für unser Wohlbefinden verantwortlich machen, bürden wir ihnen eine ungeheure Last auf. Je jünger die Kinder sind, desto größer die Risiken. Wir rauben ihnen ihre Energie, wenn sie diese selbst am meisten brauchen. Wir verursachen bei ihnen einen inneren Konflikt. Wir nehmen ihnen jede Möglichkeit allein mit ihren Gefühlen zurechtzukommen. Auch unsere Kinder haben einen großen Verlust erlitten; auch sie fühlen sich verlassen und zurückgewiesen. Wenn wir von ihnen verlangen, uns ein Gefühl der Geborgenheit zu vermitteln, zapfen wir ein emotionales Reservoir an, das noch keine Gelegenheit hatte sich voll zu entwickeln. Und gerade deshalb ist es besonders anfällig. Da Kinder sich noch in der Entwicklung befinden, erleben sie Emotionen besonders intensiv. Aus diesem Grund haben Kindheitserinnerungen häufig eine ganz besondere Intensität.

Alle Vorkommnisse vor und während der Trennung werden von Kindern direkt und ungefiltert aufgenommen. Im Gegensatz zu den Erwachsenen sind sie nicht fähig eine rationale und objektive Perspektive einzunehmen. Da Kinder noch nicht über den Erfahrungsschatz von Erwachsenen verfügen, bieten sich ihnen keine Vergleichsmöglichkeiten. Ihnen bleibt nichts anderes übrig als fassungslos zu beobachten, was mit ihnen und um sie herum geschieht. So verlockend der Gedanke auch sein mag, wir dürfen unsere Kinder keinesfalls als emotionale Stütze benutzen. Für ihr späteres Leben ist es von größter Bedeutung, dass wir uns darüber im Klaren sind, welche Erfahrungen sie gerade machen und wie sie die Ereignisse erleben.

Wie Kinder auf die Trennung reagieren

Auch wenn Kinder sich ihrer Gefühle bewusst sind, fällt es ihnen schwer sich mitzuteilen. Aus diesem Grund müssen sie alleine mit ihren Gefühlen fertig werden. 1989 veröffentlichte die William Gladden Foundation in den USA eine Studie mit dem Titel *The Effects of Divorce on Children,** die sich mit den Problemen von Kindern geschiedener Eltern befasst.

Die Reaktionen der Kinder hängen von ihrem Alter und ihrem individuellen Charakter ab. Für Kinder bis zu sechs Jahren sind die Eltern Mittelpunkt ihrer Welt. Durch die Scheidung verlieren diese Kinder die Orientierung und sind verängstigt. Sie fühlen sich verlassen und weinen häufig. In den meisten Fällen klammern sie sich an eines der Elternteile. Sie suchen die Schuld an der Trennung ihrer Eltern bei sich selbst. Kinder zwischen sieben und zwölf Jahren neigen bei einer Scheidung zu Wutausbrüchen. Sie fühlen sich zurückgewiesen und der Situation hilflos ausgeliefert. In den meisten Fällen sind sie zwischen den beiden Elternteilen hin- und hergerissen. Pubertierende Kinder befinden sich ohnehin in einer schwie-

---

* Frei übersetzt etwa *Ehescheidung und ihre Auswirkungen auf die Kinder* (Anm. d. Red.).

rigen Phase. Gerade zu Beginn der Pubertät durchleben die Kinder eine Phase dramatischer körperlicher, emotionaler und sozialer Veränderungen. Sie sind leicht zu verunsichern und fühlen sich schnell zurückgewiesen. Bei einer Scheidung leiden sie unter enormen Stimmungsschwankungen oder ziehen sich völlig zurück. Sie schämen sich für die Scheidung ihrer Eltern und befürchten, deswegen von ihren Freunden ausgeschlossen zu werden. Sie sind wütend auf ihre Eltern und voller Ressentiments ihnen gegenüber. Ältere Teenager können die Situation besser verstehen und haben weniger Probleme damit, die Scheidung ihrer Eltern zu akzeptieren. Dadurch, dass ihre Eltern ihre Beziehung nicht aufrechterhalten konnten, zweifeln sie jedoch an ihrer eigenen Fähigkeit, dauerhafte Bindungen einzugehen.

Wenn wir es versäumen unseren Kindern eine positive Einstellung zur Trennung zu vermitteln, haben wir aller Voraussicht nach in den folgenden Jahren die Konsequenzen zu tragen. Für Kinder ist es eine schreckliche Erfahrung, wenn sie sich mit ihren Emotion allein gelassen fühlen. Sind wir uns über ihre Bedürfnisse nicht im Klaren und stehen ihnen bei ihrem Versuch, sich mit dem zurechtzufinden, was in ihrer Welt geschieht, nicht hilfreich zur Seite, tragen sie all ihre unbeantworteten Fragen für den Rest ihres Lebens mit sich herum. Es ist unbedingt erforderlich, dass Sie ihre Kinder in ihren Genesungsprozess einbeziehen. Helfen Sie ihnen dabei, die Situation zu verstehen. Sprechen Sie mit ihnen über ihre Ängste und Sorgen.

Jedes Kind empfindet die Trennung seiner Eltern auf andere Weise. Doch kein Kind ist jung bzw. alt genug, um aus einer Scheidung unbeschadet hervorzugehen. Wir müssen unsere Kinder und ihr Verhalten genauestens im Auge behalten; wir müssen erkennen, wann sie Hilfe brauchen und wie wir ihnen diese Hilfe am besten zuteil werden lassen.

Als 1967 Williams erste Ehe scheiterte, ließ er seine Kinder bei ihrer Mutter. Während die Kinder heranwuchsen, fiel ihm die unangenehme und schwierige Rolle des nicht sorgeberechtigten Elternteils zu. Er musste sich wohl oder übel an die Besuchsregelungen halten. Nach seiner zweiten Scheidung im Jahre 1989 war er sich der Probleme des außenstehenden Elternteils sehr wohl bewusst. „Ich hatte selbst erlebt, was es heißt, der außenstehende Elternteil zu sein. Auf keinen Fall wollte ich meine Kinder wieder Samstagnachmittags abholen und mit ihnen in die Stadt oder zum Rollschuhlaufen gehen. Ich hätte es nicht noch einmal ertragen. Es war zu schrecklich. Ich lief mit meinen Kindern durch die Gegend und fühlte mich wie eine verlorene Seele. Trotzdem musste ich so tun, als sei alles in bester Ordnung", erzählt William.

Als William und Jacqueline sich trennten, waren ihre beiden Kinder Rachel und David sieben und acht Jahre alt. Seine Frau erklärte sich damit einverstanden, dass er das Sorgerecht für die Kinder erhielt. Rachel verarbeitete die Scheidung sehr gut. Sie konnte über ihre Gefühle sprechen und ließ sich genau erklären, was da eigentlich passierte. William beantwortete ihre Fragen offen und behutsam. „Ich erklärte ihr, dass sie ihre Mutter an den Wochenenden sehen würde und sie jederzeit besuchen könne. Rachel ist ein bemerkenswertes Mädchen. Sie hatte wirklich kaum Probleme, sich an die veränderte Situation anzupassen", berichtet William.

David dagegen hatte große Schwierigkeiten mit der Verarbeitung der Scheidung. Er zog sich völlig von der Außenwelt zurück. Das ging so weit, dass William das Gefühl hatte, sein Sohn lebe auf einem anderen Planeten, dem Planeten „David". Davids schulische Leistungen verschlechterten sich dramatisch. „Die Schulleitung rief mich an und teilte mir mit, dass die Lehrer sich große Sorgen um meinen Sohn machten. Sie waren der Meinung, er litte unter Depressionen. David wollte nicht darüber sprechen. Eigentlich sprach er so gut wie gar nicht mehr. Obwohl er ein wirklich intelligenter Junge ist, hat er seit der Trennung immer wieder Probleme in der Schule. Heute ist er 15 und spricht erst jetzt darüber, was ihn bewegt. Wir beide arbeiten das Ganze jetzt Schritt für Schritt auf."

Wir lieben unsere Kinder und wollen nur das Beste für sie. Wenn wir sehen, dass sie unter der Scheidung leiden, überkommen uns Schuldgefühle, die jahrelang an uns nagen. So muss es aber nicht sein. Sobald wir erkennen, dass unsere Kinder mit der Trennung umzugehen lernen, stellt das für uns eine große Erleichterung dar. Wir fühlen uns weniger schuldig, wenn sie die Scheidung als ein Problem anerkennen, das die Familie gemeinsam zu bewältigen hat. Wir können ihre Ängste in Verständnis umwandeln. Sie fühlen sich dann nicht länger verlassen, zurückgewiesen, verwirrt und wütend, sondern sie akzeptieren die Trennung und finden eigene Wege mit der neuen Situation umzugehen. Aus dieser Erfahrung zu lernen kann durchaus ihren Charakter festigen und eine wichtige Lektion für ihr späteres Leben darstellen.

Wie Sie Ihren Kindern helfen sich zu festigen

Wenn die Eltern sich trennen, stehen Kinder der Situation in den meisten Fällen fassungslos gegenüber. Unterschätzen Sie niemals die Auffassungsgabe Ihrer Kinder. Sie nehmen sehr wohl wahr, was sich um sie herum, und vor allem zwischen Ihnen und Ihrem Partner, abspielt. Was und wie viel sie von den Geschehnissen aufnehmen, spielt eine bedeutende Rolle für ihre Fähigkeit, sich mit den dramatischen Veränderungen in ihrem Leben zu arrangieren. Sie brauchen jedoch Unterstützung, um ihre Erfahrungen zu verarbeiten und ihre Wunden heilen lassen zu können. Andernfalls besteht die Gefahr, dass die erlittenen Verletzungen bleibende Narben hinterlassen.

Die Art und Weise wie Sie mit Ihren eigenen Gefühlen umgehen übt einen großen Einfluss auf ihre Kinder aus. Gehen Sie mit gutem Beispiel voran und bemühen Sie sich um Hilfe und Unterstützung. Seien Sie immer für Ihre Kinder da. Beantworten Sie ihre Fragen. Viele Eltern sind während und nach einer Trennung so sehr mit sich selbst beschäftigt, dass Sie sich unbewusst von ihren Kindern zurückziehen. Sie haben keine Zeit mehr für sie, wie das Beispiel von June und Matthew zeigt. Auch Caroline, die sich ihrer beiden „wunderbaren Kinder" zwar durchaus bewusst war, war trotzdem der Überzeugung, durch die Scheidung alles verloren zu haben.

Bei Kindern ist die Gefahr eines Scheidungstraumas um ein Vielfaches höher als bei Erwachsenen. Denn sie verfügen noch über keine psychologischen Mechanismen, auf die sie in dieser Situation zurückgreifen könnten. Ihnen ist nicht klar, dass die Trennung ihrer Eltern sowie die dramatischen Veränderungen in ihrem eigenen Leben nicht das Ende der Welt bedeuten. Sie wissen nicht, dass sie sich zwangsläufig von diesem Schock erholen werden. Wenn Ihre Kinder mit Ihnen sprechen wollen und Ihre Hilfe beanspruchen, um die Puzzleteile ihres Lebens wieder zusammenzusetzen, nehmen Sie sich diese Zeit für sie. Versäumen Sie es, werden Ihre Kinder sich unweigerlich von Ihnen und der Außenwelt zurückziehen. Kinder brauchen vor allem Stabilität und familiären Rückhalt. Sie sind auf Geborgenheit und die Gewissheit, dass immer jemand für sie da ist, angewiesen. Falls die Möglichkeit besteht, sorgen Sie dafür, dass ein weiteres Familienmitglied oder eine Ihnen nahe stehende Person Ihren Kindern ebenfalls immer zur Seite steht und sie weitestgehend unterstützt. Jemand, dem die Kinder ihre Sorgen und Nöte anvertrauen können. Diese Person sollte möglichst objektiv sein und weder für Sie noch für Ihren Partner Partei ergreifen. Auf diese Weise geben Sie Ihren Kindern die Möglichkeit, Fragen zu stellen und sich ihren Kummer von der Seele zu reden, ohne Angst zu haben, jemanden zu verletzen.

Verlieren Sie niemals die Tatsache aus den Augen, dass Ihre Kinder sich ihr Leben lang sowohl Ihnen als auch Ihrem Partner gegenüber verbunden fühlen. Geben Sie sich selbst die Möglichkeit, auf diesen Lebensabschnitt ohne Schuldgefühle zurückzublicken. Auch wenn Sie immer noch Ihre Wut an Ihrem Expartner auslassen wollen, treffen Sie mit ihm oder ihr eine Vereinbarung darüber, dass Sie die Kinder aus Ihrem ganz persönlichen Kleinkrieg heraushalten. Versuchen Sie möglichst in allen Fragen, die Ihre Kinder betreffen, eine Einigung zu finden. Denken Sie daran, dass gerade junge Kinder sich selbst die Schuld an der Trennung ihrer Eltern geben. Sorgen Sie dafür, dass Ihre Kinder sich für die Scheidung nicht verantwortlich fühlen. Und einigen Sie sich mit Ihrem Partner darauf, dass er oder sie in gleicher Weise verfährt.

Wenn Sie und Ihr Partner Ihren Kindern demonstrieren, dass Sie sich trotz der Trennung einigen können, erleichtert ihnen das, die Situation zu akzeptieren. Ihre Kinder erkennen so, dass es sich bei dem, was mit ihnen geschieht, nicht um das Ende der Welt handelt, sondern dass sie einen natürlichen Prozess durchleben.

Zeigen Sie Ihren Kindern, dass es in ihrem Leben einen konstanten Mittelpunkt gibt, auch wenn sich alles um sie herum im Wandel befindet. Obwohl ein Elternteil aus dem gemeinsamen Haus auszieht und sich vieles in ihrem Leben verändert, bleibt ihre enge emotionale Bindung an beide Elternteile unverändert. Machen Sie ihnen klar, dass nicht die Quantität, sondern die Qualität der gemeinsam verbrachten Stunden für die Beziehung zu ihren Eltern ausschlaggebend ist. Der Elternteil, der auszieht, sollte an den Besuchstagen darauf achten, dass er sich nicht von seinen Kindern entfernt bzw. seine Kinder sich nicht von ihm zurückziehen. Beide Elternteile sollten ihre Kinder sowohl beim Aufbau als auch bei der Aufrechterhaltung positiver und liebevoller Beziehungen unterstützen. Beziehungen dieser Art vermindern die Verlustgefühle der Kinder. Und gerade das Gefühl etwas verloren zu haben bzw. verlassen worden zu sein kann bei Ihren Kindern nachhaltige psychische Schäden hervorrufen.

Bei einer Scheidung werden die betroffenen Kinder in der Regel von einer Flut von Gefühlen überwältigt: Verwirrung, Angst, Verunsicherung. Wenn die Welt ihrer Eltern zerbricht, scheint die Welt der Kinder ebenfalls verloren. Hinzu kommt, dass sich das Zeitgefühl von Kindern nicht mit dem der Erwachsenen vergleichen lässt. Kinder haben den Eindruck, dass diese Phase der Unsicherheit und der Trauer niemals enden wird. Die enge Verbundenheit zu den Eltern vermittelt ihnen ein Gefühl der Geborgenheit. Durch emotionale Abhängigkeit der Eltern von den Kindern nehmen Sie ihnen andererseits die Freiheit, sich unabhängig von ihren Eltern mit der Situation auseinander zu setzen. Seien Sie für Ihre Kinder da, hören Sie ihnen zu. Wenn Sie sich nicht dazu in der Lage fühlen, immer für Ihre Kinder da zu sein, sorgen Sie dafür, dass ihnen immer ein Ansprechpartner zur Verfügung steht. Offene Beziehungen mit einer soliden Basis helfen bei der Entwicklung einer gesunden Portion Selbstbewusstseins.

All das ist natürlich leichter gesagt als getan. Wie sollen Sie Ihren Kindern ein Gefühl der Geborgenheit vermitteln, wenn Sie selbst zutiefst verunsichert sind? Wie können Sie für Ihre Kinder da sein, wenn Sie selbst völlig verwirrt sind? Wie können Sie Ihren Kindern die notwendige Unterstützung bieten, da Sie sich nach der Trennung doch selbst verloren vorkommen? Sie kommen mit Ihren eigenen Gefühlen nicht zurecht und brauchen Unterstützung. Sie brauchen Zeit um Ihren Kummer zu verarbeiten. Wenn Sie diesen Sturm möglichst unbeschadet überstehen wollen, brauchen Sie jede Unterstützung, die Sie bekommen können.

Sie dürfen jedoch eins nicht vergessen: Für Ihre Kinder sind Sie der Mittelpunkt ihrer Welt. Aus diesem Grund tragen Sie trotz allem eine große Verantwortung. Auch wenn es von Ihnen eine immense Willensanstrengung erfordert: Helfen Sie Ihren Kindern mit den Veränderungen in ihrem Leben fertig zu werden. Versuchen Sie die negativen Gefühle für Ihren Partner zu kontrollieren und zeigen Sie Ihren Kindern so, dass die Welt nicht untergeht. Geben Sie ihnen das Gefühl geliebt zu werden und zeigen Sie ihnen, dass Sie immer für sie da sind.

6

Die Mitmenschen

Alle waren schockiert. All unsere Freunde waren davon überzeugt, dass wir eine glückliche Ehe führten – und das taten wir eigentlich auch. Und als ich ihnen erzählte, dass wir uns scheiden lassen werden, brach ich regelrecht zusammen. Es machte alles nur noch schlimmer. Es war, als müsste ich ihnen den Tod eines engen Freundes beibringen. Ja, ich überbrachte ihnen eine echte Hiobsbotschaft.

Caroline, 41, geschieden

Wenn wir uns scheiden lassen, sind wir in der Regel nicht auf die Reaktionen unserer Umwelt vorbereitet. Wir wissen nicht, wie sie uns in den kommenden Tagen, Wochen und Monaten begegnen wird. Sobald wir unseren Freunden und Verwandten davon erzählen, sind wir verlegen, wir schämen uns. Wir fühlen uns, als hätten *wir sie* enttäuscht.

Wir ertappen uns sogar dabei, wie wir sie trösten, als hätten *sie* diesen Verlust erlitten. Die Ursache für unser Verhalten liegt darin, dass auch unsere Freunde und Verwandte große Erwartungen in unsere Ehe gesetzt haben. Für sie sind wir zu einem Teil einer untrennbaren Einheit geworden – Teil eines Ehepaares. Unsere Beziehung und deren Stabilität dient ihnen als Indikator für ihre eigene Sicherheit bzw. die Beständigkeit ihrer eigenen Beziehungen. Die Art und Weise der Interaktion mit uns basiert, ob sie sich dessen bewusst sind oder nicht, auf der Wahrnehmung von uns als Teil einer Beziehung. Wenn wir selbst in einer Beziehung leben, setzt sich unser Bekanntenkreis in der Regel ebenfalls zum größten Teil aus Paaren zusammen. Da unsere Freunde sich bis zu einem gewissen Grad über uns identifizieren und wir uns durch sie, hat unsere Trennung Auswirkungen auf alle anderen Beziehungen in unserem Bekanntenkreis. Unsere Scheidung hinterlässt bei unseren Freunden und Bekannten Verwirrung und Verunsicherung.

Wenn wir unsere Beziehung, in der wir bis jetzt gelebt haben, als einen Organismus betrachten, lassen sich die Menschen in unserer Umgebung als dessen Umwelt bezeichnen. Um bei dieser Metapher zu bleiben: Die Umwelt hat sowohl großen Einfluss auf den Organismus als auch auf die Synthese von Organismus und Umwelt. Stellen Sie sich Ihre Beziehung und die Partnerschaften Ihrer Freunde und Bekannten als eine Ansammlung verschiedener Gebäude in einer wunderschönen, intakten Landschaft vor. Zerfällt eines dieser Häuser, sind nicht nur die Bewohner des Hauses davon betroffen. Die anderen Anwohner sind Zeugen des Zerfalls und können sich dieser Tatsache unmöglich entziehen. Der Einsturz Ihres Hauses erinnert sie jeden Tag aufs Neue daran, dass auch Bauwerke nicht ewig halten. Für die meisten Menschen in Ihrer Umgebung handelt es sich dabei um eine zutiefst beunruhigende Erkenntnis.

Ihre Trennung stellt ihre Mitmenschen vor eine schwierige Entscheidung. Zum einen können sie sich darum bemühen Ihre Beziehung zu kitten. Zum anderen besteht die Möglichkeit Ihre Trennung als Tatsache zu akzeptieren und zu versuchen mit der veränderten Situation umzugehen. Darüber hinaus steht es ihnen offen den Tatsachen aus dem Wege zu gehen und somit weder die Sicherheit ihrer eigenen Beziehungen noch ihren Lebensstil in Frage zu stellen.

Wir sind uns häufig gar nicht darüber im Klaren, welch großen Einfluss unser Status – Single oder Teil einer Beziehung – auf unseren Freundes- und Bekanntenkreis ausübt. Das soll nicht heißen, dass unsere Beziehungen nicht auch das Ergebnis einer individuellen Bindung sind. Und unsere Eltern, Geschwister, Verwandten, Bekannten und Freunde lieben uns auch nicht weniger, nur weil wir keinen Partner mehr haben. Tatsache ist aber, dass unsere Trennung für all diese Menschen ebenfalls einen Verlust bedeutet. Auch sie müssen irgendwie mit unserer Scheidung fertig werden. Wenn wir mit unserem Partner eine „gemeinsame Identität" entwickelt haben, wenn unsere Beziehung zu einer festen Struktur in unserem Leben geworden ist, wenn sie einen nicht unbedeutenden Status in unserem Leben eingenommen hat, dann hat sie für das Leben unserer Mitmenschen eine ganz ähnliche Bedeutung. Diese wechselseitigen Beziehungen werden durch unsere Trennung ebenfalls aufgelöst.

Sie müssen sich dessen bewusst sein, dass eine Trennung weitreichende Veränderungen der Beziehungen zu den Menschen in Ihrer engeren Umgebung nach sich zieht. Ihr gesellschaftlicher Status sowie das soziale Umfeld, in dem Sie leben, erleben durch Ihre Trennung einen nicht unerheblichen Wandel. Erwarten Sie das Unerwartete. Eltern, angeheiratete Verwandte und Freunde werden sich einmischen und versuchen Sie bzw. Ihren Partner von der Trennung abzubringen. Vielleicht halten sie sich aber auch völlig aus der Situation herraus. Die Menschen in Ihrer Umgebung sind schockiert, fassungslos, bestürzt oder auch zu Tode betrübt. Einige haben Angst: Wenn Ihre Ehe scheitert, könnte ihnen ja dasselbe Schicksal widerfahren. Angeheiratete Verwandte, zu denen Sie im Lauf der Jahre eine enge Beziehung aufgebaut haben, wenden

sich von Ihnen ab. Freunde, mit denen Sie so viele schöne
Stunden erlebt haben, verschwinden nach und nach aus
Ihrem Leben. Falls Ihre Trennung einem Kleinkrieg
gleicht, werden die meisten Menschen aus ihrem Umfeld
nicht wissen, wie sie sich verhalten sollen. Sie sind sich
unschlüssig darüber, wem ihre Loyalität gelten soll. In
diesem Fall kann Ihre Trennung zu einem äußerst uner-
freulichen Erlebnis für alle Beteiligten werden.

Erste Reaktionen

Zu einem Zeitpunkt, an dem wir eigentlich nichts weiter
als die Unterstützung, die Zuneigung und das Mitgefühl
unserer Mitmenschen brauchen, müssen wir zunächst
einmal mit ihren Reaktionen auf unsere Trennung zurechtkommen. Nichts ist mehr so, wie es einmal war. Die
Veränderungen reichen von kleinen Nuancen bis hin zu
grundlegenden Neuerungen. Dieser Wandel zählt zu den
Auswirkungen unserer Trennung und auch das müssen
wir akzeptieren. Die Beziehungen zu unseren Mitmenschen lassen sich durchaus mit familiären Bindungen vergleichen. Wenn unsere Beziehung zerbricht, wenden wir
uns an unsere „familiäre Umgebung" und erwarten dort
die gewohnte Unterstützung. Wir sind ängstlich und
fühlen uns im Stich gelassen. Auf der Suche nach Unterstützung und Sicherheit in bekannten Strukturen tappen
wir jedoch im Dunkeln. Denn gerade jetzt, wo wir die
Mitmenschen am meisten brauchen, müssen wir erkennen, dass sie sich verändern bzw. verändert haben. Dort,
wo wir Liebe und Beistand vorzufinden glauben, erwartet
uns Leere. Doch dort, wo wir diese Leere erwarten, finden
wir wiederum eine unerwartete Quelle der Wärme und
Unterstützung vor.

Sehen wir uns beispielsweise die Situation von Caroline und ihrem Mann an. Für ihre Umwelt galten die beiden bis zum Zeitpunkt ihrer Trennung als das „perfekte Paar". Die meisten Menschen ihrer Umgebung reagierten zunächst mit Bestürzung und Fassungslosigkeit. Caroline fühlte sich wie der Überbringer einer Todesnachricht. Andererseits war sie auf die Unterstützung ihrer Freunde angewiesen. Ihre Eltern lebten nicht mehr und sie hatte keine Geschwister. Ihre Freunde waren ihre Familie. „Sie waren völlig fassungslos. Doch ich verspürte einen unwiderstehlichen Drang, allen von unserer Trennung zu berichten. Ich musste einfach darüber sprechen und hoffte auf Unterstützung. Ich wollte einfach nur das Geschehene mit meinen Freunden analysieren. Jeder, mit dem ich über unsere Trennung und ihre Hintergründe sprach, vertrat die Meinung, mein Mann wäre gerade mitten in der Midlifecrisis. Das war eben die einfachste Erklärung, und er hatte das richtige Alter dazu. Ich wollte einfach nur, dass mir jemand zuhörte und mir Mut zusprach. Ich hatte keine Familie, keine Geschwister, an die ich mich wenden konnte. Diese Tatsache empfinde ich auch heute noch als sehr schmerzlich."

Caroline erfuhr in den folgenden Wochen große Unterstützung durch ihre Freunde und Bekannten. In den ersten sechs Monaten nach der Trennung hoffte sie immer noch, ihr Mann würde zu ihr zurückkehren. Eine gute Freundin und deren Mann wollten zwischen ihr und Tom vermitteln und versuchten ihn zur Rückkehr zu bewegen. Niemand wollte wahrhaben, dass die Ehe gescheitert war.

Als Annie ihren Mann verließ, wusste er nicht, wie er es seinen Eltern beibringen sollte. Bei einem Treffen mit seinem Vater sagte er einfach: „Ach übrigens, Annie zieht heute aus." Sein Vater gab die Nachricht an seine Mutter weiter. Doch er vermied eine offene Aussprache über dieses äußerst traumatische Erlebnis im Leben seines Sohnes. Die ganze Angelegenheit wurde einfach unter den Teppich gekehrt. Seine Eltern waren verlegen, enttäuscht und niedergeschlagen. Sie behandelten Hughs Trennung von seiner Frau nicht anders als einen peinlichen Zwischenfall. Keiner von ihnen gab sich oder den anderen die Gelegenheit, seinen Gefühlen, Sorgen und Ängsten Ausdruck zu verleihen. So nahmen sie sich selbst die Möglichkeit zur gegenseitigen Unterstützung. Hugh machte sich Sorgen um seine Eltern und ging ebenfalls nicht weiter auf dieses Thema ein. „Ich wollte meine Eltern nicht damit belasten. Also habe ich alles in mich hineingefressen und gute Miene zum bösen Spiel gemacht."

Die Reaktionen der betroffenen Eltern sind nicht immer gleich. Viele von ihnen halten sich respektvoll aus der eigentlichen Auseinandersetzung heraus, äußern ihre Befürchtungen und bieten ihre Unterstützung an. Andere wiederum üben Druck auf ihre Kinder aus und wollen sie mit allen Mitteln zu einer Versöhnung überreden. Häufig fühlen wir uns für ihre Niedergeschlagenheit verantwortlich. Unsere Eltern verursachen bei uns Schuldgefühle. Wir schämen uns vor ihnen für unsere Scheidung und fühlen uns als Versager. In manchen Fällen wird die Situation noch dadurch verschärft, dass wir, wie z.B. Caroline und Tom, enge Beziehungen zu unseren Schwiegereltern und angeheirateten Verwandten eingegangen sind. Sie bilden einen Teil des Fundaments unserer Beziehung und geben ihr in Krisensituationen den erforderlichen Halt. Die Ehe von Tom und Caroline brach nicht zufällig erst dann auseinander, als sowohl ihre Eltern als auch Toms Mutter gestorben waren. Als sie Toms erste Affäre entdeckte, brachte Caroline es nicht übers Herz ihre Freunde oder gar ihre Eltern einzuweihen. „Meine Eltern haben ihn geliebt. Wie um alles in der Welt hätte ich meinen Eltern das beibringen sollen? Ich konnte ihnen kaum noch in die Augen schauen."

Tom war von den Reaktionen – bzw. deren Ausbleiben – auf die unerfreuliche Nachricht zutiefst betroffen. „Auf der Hochzeit waren mehr als 100 Personen. Einige davon hatte ich nie zuvor gesehen oder auch nur von ihnen gehört. Aber nach der Trennung hat nicht einer von ihnen angerufen und gefragt, wie ich mich fühle." Nachdem seine Frau ihn verlassen hatte, verschwanden seine Freunde aus seinem Leben, als hätte es sie nie gegeben. Das war jedoch nicht die einzige Enttäuschung, die er in dieser Zeit hinnehmen musste. Tom fühlte sich mit seinem Kummer im Stich gelassen. „Mein Leben erschien mir wie Wasser in einem Glas. Das Glas kippte um und das Wasser lief aus. Egal, wie sehr ich auch versuchte, das Wasser wieder in das Glas zu bekommen, es war ein unmögliches Unterfangen", berichtet er. Tom musste erkennen, dass er nicht in der Lage war, sein Leben allein wieder in den Griff zu bekommen.

Zurückweisungen und Vorurteile

Emma, eine 47jährige examinierte Krankenschwester, lernte ihren Mann in Südafrika kennen, wo sie ihn 1974 auch heiratete. Nach ihrer Ausbildung zur Hebamme hatten sie und zwei Freundinnen dort einen Jahresvertrag angenommen. Als sie sich regelmäßig mit David traf, eröffneten ihre Freundinnen ihr, dass sie bald heiraten würden. Heute ist Emma der Überzeugung, dass die Hochzeit ihrer Freundinnen ausschlaggebend für ihre Entscheidung war, David zu heiraten.

Emma wurde innerhalb von sechs Monaten nach ihrer Hochzeit schwanger. Nach der Geburt ihres Sohnes hatten sie und ihr Mann jedoch so gut wie keinen weiteren sexuellen Kontakt mehr. Erst Jahre später erkannte Emma, dass ihr Mann homosexuell war. Doch das war nicht das einzige Problem in ihrer Ehe.

„Er musste die absolute Kontrolle über alles besitzen. Er bestimmte über mein Leben", erinnert sie sich. Er verbot ihr ein eigenes Konto zu führen. Ihr Gehalt wurde auf Davids Konto überwiesen, und wenn sie Geld brauchte, musste sie ihren Mann darum bitten. Doch wenn sie ihn nach Geld fragte, verweigerte er es ihr. Darüber hinaus verbot er ihr Auto zu fahren. Die Jahre vergingen und Emma verlor nach und nach ihre Lebensfreude. Sie fühlte sich unbedeutend und schwach. Sie saß in der Falle. „Man braucht lange Zeit, um sich über seine eigene Situation und deren Ursachen klar zu werden, und bis dahin ist man schon völlig demoralisiert. Ich erinnere mich noch sehr genau an eine Nacht in einem leeren Krankenzimmer. Der Raum wurde gerade gestrichen, ich saß in der Dunkelheit zwischen Farbdosen und heulte mir die Augen aus dem Kopf." Als sie ihren Mann schließlich auf seine homosexuellen Neigungen ansprach, gab er es offen zu. Gleichzeitig machte er sie jedoch dafür verantwortlich. „Ich sei schuld daran, weil ich ihn nicht gut behandelt hätte. Ich wollte nur noch weg. Ich hätte ihn verlassen sollen, doch mir fehlte das nötige Geld. Er drohte mir dafür zu sorgen, dass unser Sohn nicht ausreisen dürfe. Ich war mir sicher, wenn ich mich zusammenriss und ihm gab, was er brauchte, würde er sich ändern."

Ihre Ehe hielt 18 Jahre lang. Irgendwann konnte Emma dem Druck nicht länger standhalten. Zwischen 1990 und 1992, den letzten zwei Jahren ihrer Ehe, suchte Emma

Trost im Essen. Im Sommer 1992 wog sie bei einer Größe von 1,60 Metern 101,5 Kilogramm. Davids Verhalten hatte auch noch das zerstört, was von ihr übrig gewesen war. Emma erkannte, dass sie abnehmen und ihre Ess- bzw. Lebensgewohnheiten ändern musste. Sie bemühte sich um Hilfe. Sie suchte aus dem Telefonbuch eine Hypnosetherapeutin heraus und vereinbarte einen Termin. Diese Entscheidung veränderte ihr ganzes Leben.

„Ich wollte einfach mein Gewicht reduzieren. Ich kam gar nicht auf die Idee mit meiner Therapeutin über meine Probleme zu sprechen. Sie hat mir wirklich sehr geholfen. Der Gewichtsverlust war anfangs wie eine Befreiung [von David]. Ich fühlte mich erleichtert." Innerhalb von drei Monaten verlor Emma mehr als 30 Kilogramm Gewicht. Im August 1992 erklärte sie ihrem Mann, dass sie sich von ihm trennen wolle, und forderte ihn auf auszuziehen.

Nach Davids Auszug rief sie ihre Freunde an und erzählte ihnen, was passiert war. Sie machte auch aus Davids Homosexualität kein Geheimnis. „Einige von ihnen sagten, sie hätten es gewusst. Andere wiederum hatten nichts geahnt. Von manchen habe ich nie wieder etwas gehört." Als sie mit ihren Freunden und Bekannten sprach, wünschte sie sich so manches Mal, ihr Mann hätte sie geschlagen. Dann hätten sie ihren Schmerz vielleicht verstanden. „Es mag verrückt klingen, doch wenn David mich misshandelt hätte, hätten sie meine Gefühle nachvollziehen können. Hätte ich Blutergüsse vorweisen können, hätten sie einen Beweis für meine Verletzungen gehabt", berichtet Emma.

Emma hat die Erfahrung gemacht, dass Freundschaften sich direkt nach der Neuigkeit in nichts auflösten. Sie hatte die Trennung gewollt. Also wurde von ihr erwartet, dass sie ihr Leben ganz normal weiterlebte. „Ich glaube, keiner hat sich darüber Gedanken gemacht, dass die Scheidung für mich ein äußerst schmerzhafter Prozess war. Sie waren der Meinung, ich hätte mich aus freien Stücken zu diesem Schritt entschieden. Ich müsste froh und erleichtert sein. Sie wollten gar nichts über die Hintergründe erfahren. Sie weigerten sich den Tatsachen ins Auge zu blicken. Sie wollten es einfach nicht wissen. Ich war von dem Verhalten meiner Umwelt zutiefst enttäuscht. Sie hatten keine Ahnung davon, was eigentlich vorgefallen war. Sie waren auch gar nicht daran interessiert."

Hinzu kommen Vorwürfe und Missverständnisse, all die kleinen Stiche gegen unser ohnehin angeschlagenes Selbstbewusstsein. Die Reaktionen unserer Bekannten und Freunde spiegeln eigentlich nichts anderes wider als deren eigene Ängste. Ihre Hiebe treffen uns, wenn wir am empfänglichsten dafür sind. Vier Monate nach Emmas Trennung bot ein Freund ihr seine Hilfe bei der anfallenden Arbeit in Haus und Garten an. „Er wollte einige kleinere Reparaturen für mich erledigen. Morgens um halb zehn wollte er bei mir sein. Um halb neun rief seine Frau mich an und sagte: ‚Bill ist in ungefähr einer Stunde bei dir. Zieh dir bis dahin bitte was an.' Die beiden fühlten sich von mir als allein stehender Frau bedroht. Mir wurde schwarz vor Augen. Ich dachte nur: ‚Wenn sie so denkt, wird sie ihre Meinung wohl auch nicht mehr ändern. Ich brauche gar nicht erst versuchen, sie vom Gegenteil zu überzeugen.' Emma war verletzt und schockiert.

Frauen betrachten ihre allein stehenden Freundinnen häufig als eine Gefahr für die eigene Ehe. Geschiedene oder in Trennung lebende Frauen brauchen schließlich einen Ersatz und schrecken bei ihrer verzweifelten Suche danach auch vor den Ehemännern anderer Frauen nicht zurück. Da ist es doch nur ratsam, den eigenen Ehemann unter Verschluss zu halten, wenn gerade diese Freundin zu Besuch kommt.

Diese Befürchtungen sind in den allermeisten Fällen aus der Luft gegriffen. Frauen, die eine Trennung hinter sich haben, sind äußerst empfindlich und wollen nichts weiter als Trost und Unterstützung. Diese Frauen haben nichts weniger im Sinn, als sich Hals über Kopf in eine neue Beziehung zu stürzen. Alles, was sie suchen, ist Verständnis. Sie brauchen Zeit, bis ihre Wunden verheilen. Doch da die Mitmenschen ihre traumatische Erfahrung weitestgehend ignorieren, entsteht eine Vielzahl schmerzhafter Missverständnisse, zu denen nicht zuletzt der Mythos der „leicht zu habenden geschiedenen Frau" zählt. Dennoch ist es traurige Realität, dass die Furcht der Ehefrauen ihre Ehemänner an ihre neuerdings allein stehenden Freundinnen zu verlieren nicht ganz unbegründet ist. Doch müssen sie nicht ihre Freundinnen fürchten, sondern ihre eigenen Ehemänner. Diese glauben nämlich, aus dem neu erworbenen Singlestatus der Frauen in ihrem Bekanntenkreis Kapital schlagen zu können. Sie halten sie für eine leichte Beute und neigen dazu, deren Verletzlichkeit und Einsamkeit für ihre Zwecke auszunutzen.

Als Junes Ehe nach 23 Jahren zerbrach, wandte sie sich an ein befreundetes Ehepaar. Doch es dauerte nicht lange, bis sie diese Freundschaft endgültig aufgab. „Er [der Ehemann ihrer Freundin] war nur einer von drei verheirateten Männern, die nach Matthews Auszug sofort ihre Chance witterten. Ob ich jetzt nicht Zeit für ein gelegentliches Treffen hätte? Ich war entsetzt, empört und zutiefst verärgert über alle Angehörigen des männlichen Geschlechts. Mit diesem Verhalten konnte ich nicht umgehen. Nach diesem Vorfall habe ich mich von dem Ehepaar distanziert. Jetzt wusste ich, warum geschiedene Frauen den Ruf ‚genießen', für jeden leicht zu haben zu sein. Die Frauen können gar nichts dafür. Ganz im Gegenteil, sie verdanken diese zweifelhafte Ehre den verheirateten Männern, die ihnen nachstellen."

Unsere Trennung veranlasst einige Freunde und Bekannte sich von uns abzuwenden. Andere wiederum versuchen auf ihre Weise von unserem Verlust zu profitieren. Das Verhalten dieser Menschen trägt in keinem Fall zu einer Verbesserung unseres Zustands bei. Wir fühlen uns auch von ihnen verletzt, abgelehnt und beleidigt. Die Zurückweisung unserer Freunde schwächt unser Selbstbewusstsein, und wir sind der Überzeugung: „Selbst meine Freunde wollen mich nicht mehr." Wir sind fassungslos und fragen uns, ob wir unseren Freunden jemals wirklich wichtig waren. Wie können sie uns nach allem, was wir in den letzten Jahren in diese Freundschaften investiert haben, fallen lassen wie eine heiße Kartoffel? Wie können sie ihr Leben einfach so weiterleben, ohne uns?

Frauen, die nach einer Trennung allein leben, laufen Gefahr, ins gesellschaftliche Abseits zu geraten. Und das aus dem einzigen Grund, weil sie ohne Partner leben. Doch auch Männer in derselben Situation stoßen teilweise auf ähnliche Vorurteile und Zurückweisungen. Als Hugh mit seinen Arbeitskollegen – immerhin dieselben Kollegen, mit denen er einen Großteil seiner Zeit verbrachte – über seine Trennung sprechen wollte, hatte er den Eindruck gegen eine Wand zu reden. „Es war nur zu deutlich, dass sie nicht mit mir über meine Probleme sprechen wollten. Nach dem Motto: ‚Nicht darüber reden, dann kann es einen selbst auch nicht treffen. Unterhalten wir uns lieber über das Wetter und warten, bis die Sache ausgestanden ist.' Wenn ich ehrlich bin, hatte ich mich bis zu diesem Zeitpunkt nicht anders verhalten als meine Kollegen."

Die Beziehungen zu den Menschen in unserer Umgebung verändern sich nach unserer Trennung. Oftmals handelt es sich um einen wirklich drastischen Wandel. Die Nachwirkungen des Schocks über unsere Scheidung erstrecken sich häufig in Wellen über unser gesamtes soziales Umfeld. Und wir stehen den Veränderungen der uns bekannten Strukturen – unseren freundschaftlichen Beziehungen – vollkommen hilflos gegenüber.

Wir müssen uns jedoch unbedingt vor Augen halten, dass die Veränderungen, die wir beobachten, nichts über unseren Charakter oder unseren Wert als Mensch aussagen. Auch wenn uns die Reaktionen unserer Freunde auf die Trennung bis zu einem gewissen Grad die Augen über deren Charakter öffnen, müssen wir uns darüber bewusst sein, dass sie für ihre Gefühle und ihr Verhalten selbst verantwortlich sind. Unsere Aufgabe besteht darin, uns auf uns selbst und auf unsere Bedürfnisse zu konzentrieren. Die Entscheidung, welche Beziehungen gut für uns sind und welche nicht, liegt ganz allein bei uns.

Distanzieren Sie sich von Menschen, die nicht gut für Sie sind

Wir alle haben bestimmte Erwartungen an unsere Partnerschaft. Das ist bei anderen für uns wichtigen Beziehungen nicht anders. Wir sollten auf die eine oder andere Enttäuschung vorbereitet sein. Auch unsere Freunde und Verwandten können uns in dieser Situation Demütigungen oder Verletzungen zufügen. Wir müssen klar zwischen den Menschen entscheiden, auf die wir uns verlassen können, und denen, die mit uns und unserer Krise überfordert sind. Die Reaktion unserer Mitmenschen auf unsere Trennung wird zu einem großen Teil von deren eigenen Erfahrungen beeinflusst. Denjenigen, die selbst noch keine Trennung erlebt haben, mangelt es häufig einfach am nötigen Verständnis.

Wir müssen offen sein. Denn häufig erschließen sich uns völlig unerwartete Quellen der Unterstützung. Andererseits sollten Sie sich darüber im Klaren sein, dass einige Ihrer Freundschaften die veränderte Situation nicht überstehen werden.

Kate, eine 46-jährige Sozialarbeiterin, war 23 Jahre lang verheiratet. Im Laufe ihrer Ehe traten immer wieder Phasen auf, in denen ihr Mann sie misshandelte. Er vermittelte ihr, dass sie selbst daran schuld sei und ihn durch ihr Verhalten provoziere. Kate gab die Hoffnung, dass er eines Tages aufhören würde sie zu schlagen, nicht auf. 1992 sah sie jedoch keinen anderen Ausweg mehr und beschloss die Ehe zu beenden. Als er nachts nach Hause kam, war er völlig betrunken und hatte sich etwas vom Chinesen mitgebracht.

„Ich war wütend und sagte ihm, dass er mir wenigstens Bescheid sagen sollte, wenn er sich die ganze Nacht herumtrieb. Er warf mit dem Essen nach mir und schlug erneut auf mich ein. Das war das Aus. Irgendwo in mir schloß sich eine Tür. Er rannte nach draußen, und ich stopfte all seine Sachen in große schwarze Taschen. Am nächsten Morgen setzte ich mich mit einem Anwalt in Verbindung und reichte die Scheidung ein."

Nach Jahren der Unentschlossenheit hatte sie endlich eine Entscheidung getroffen. Doch der Leidensprozess fing jetzt erst richtig an. Darüber hinaus musste sie sich den Reaktionen ihrer Familie und ihrer Freunde stellen. Diejenigen, die ihr nahe standen, hatten sie immer als eine starke Frau betrachtet, die jede Krise problemlos meisterte. Nachdem die erste Euphorie darüber, dass sie ihren Ehemann endlich los war, sich gelegt hatte, musste Kate erkennen, dass sie mit der Situation überfordert war. Sie kam einfach nicht aus ihrer Krise heraus. „Ich glaube, ich war einfach nicht fähig, den ganzen Ärger und die Wut loszulassen. Drei Wochen lang weinte ich fast unaufhörlich. Sah ich fern, weinte ich über alles, was ich sah. Las ich ein Buch, weinte ich über das, was ich las. Ich heulte wegen jeder Kleinigkeit."

Kate hatte sowohl Angst vor der Reaktion ihrer Mutter, einer strenggläubigen Katholikin, als auch vor der Reaktion ihrer 14 Jahre jüngeren Schwester, die Ray besonders nahe stand. Doch Kate stellte erleichtert fest, dass ihre Mutter sie nicht kritisierte und ihre Schwester ihr in dieser Zeit wirklich beistand. „Sie sagte: ‚Du hättest uns doch sagen können, wie unglücklich du warst.' Meine Mutter und meine Schwester versuchten mich innerlich aufzurichten und sagten mir immer wieder, dass ich es schon schaffen werde. ‚Wir könnten es nicht ertragen, doch du bist stärker als wir. Du schaffst das schon.' Ich empfand meine Stärke jedoch weniger als Vorteil als als Hindernis."

Ihren gemeinsamen Freunden gegenüber vertrat Kate einen relativ eindeutigen Standpunkt, der in der kommenden Zeit von großem Vorteil für sie sein sollte. Während ihrer Ehe hatte Ray es zu verhindern gewusst, dass seine Frau eigene Freundschaften schloss. Ihm war es lieber, wenn sie sich mit den Frauen seiner Freunde umgab. So kam es, dass sie sogar Erleichterung darüber empfand, sich von diesen Menschen zurückziehen zu können. „Bei den meisten unserer gemeinsamen Freund-

schaften hatte ich gar nicht das Bedürfnis sie fortzu-
führen. Ich unterhielt mich zwar mit ihnen und traf sie gelegentlich, doch eigentlich haben sie mich nie richtig interessiert. Sie waren nicht wirklich meine Freunde. Es war
mir vollkommen gleichgültig, wie sie über unsere Trennung dachten."

Doch einige wenige Menschen aus ihrer Umgebung bedeuteten ihr wiederum sehr viel. „Das einzige Paar, das
mir wirklich wichtig war, hat sich von uns beiden zurückgezogen. Manchmal treffe ich sie zufällig und wechsele
ein paar Worte mit ihnen. Doch ansonsten haben wir keinerlei Kontakt mehr. Ich glaube, sie fühlten sich beiden von
uns gegenüber verpflichtet. Sie wollten weder Ray noch
mich vor den Kopf stoßen und distanzierten sich deshalb
von uns beiden." Kate ist der Überzeugung, dass der
Rückzug ihrer Freunde noch ganz andere Ursachen hatte.
„Unsere Trennung machte ihnen deutlich, dass Beziehungen nicht so stabil sind, wie sie gerne glauben wollten."
Kate vermutet: „Ich habe den Eindruck, unsere Scheidung
wirkte sich sehr positiv auf die Ehe der beiden aus. Der
Schock über unsere Trennung und die Erkenntnis, dass
Partnerschaften sehr zerbrechlich sein können, haben sie
einander näher gebracht."

Die Entscheidung, welche Freundschaften man besser
aufgeben sollte, fällt nicht immer leicht. Besonders kurz
nach der Trennung werden wir von Verwandten und
Freunden mit Trost und Unterstützung nur so überhäuft.
Unsere Mitmenschen haben in dieser Situation noch keine
festen Verhaltensmuster entwickelt. Doch sie werden es
unweigerlich sehr bald tun. Caroline konnte sich in den
ersten Wochen und Monaten nach der Scheidung vollkommen auf ihre Familie und ihre Freunde verlassen. Be-
freundete Paare besuchten sie häufig, sprachen mit ihr,

verbrachten viel Zeit mit ihr, spendeten Trost und Nähe. Doch nach und nach, zuerst fast unmerklich, veränderte sich das Verhalten ihrer Freunde. Caroline fühlte sich als Zuschauer in einem sozialen Reigen, an dem alle Paare teilnahmen und sich auf nur ihnen verständliche Weise die nächsten Schritte mitteilten. Caroline jedoch war von diesem Tanz ausgeschlossen.

„Während unserer Ehe hatte ich den größten Teil unserer Freundschaften geknüpft. Denn mein Mann war in dieser Hinsicht sehr zurückhaltend. Unser soziales Leben bestand vorwiegend aus gegenseitigen Einladungen und ähnlichen Unternehmungen. Im Lauf der Monate brach mein Kontakt zu den Paaren als solche jedoch ab: Ich traf mich nur noch mit den Frauen. Ich glaube, die Männer fühlten sich in meiner Gegenwart unwohl. Einige von ihnen bestanden zwar darauf, dass ich an ihren Partys oder an gemeinsamen Essen teilnahm. Im Grunde genommen war es aber sowohl ihnen als auch mir nur peinlich. Dieser Teil meines Lebens war nach der Trennung einfach nicht mehr vorhanden, so als hätte es ihn nie gegeben. Nach der Scheidung nahm ich keine Einladungen von anderen Paaren mehr an bzw. wurde gar nicht erst eingeladen. Mein soziales Leben war genau genommen nicht existent."

Veränderungen dieser Art sind natürliche Folgen einer Trennung und wir müssen uns unbedingt damit arrangieren. Die Trennung stellt all unsere Beziehungen auf eine harte Probe. Sie sollten sich dieser Tatsache bewusst sein und sich nicht gegen eventuelle Veränderungen wehren. Manchmal müssen Sie einfach bereit sein, einen Verlust hinzunehmen und weiterzugehen. Sobald Sie feststellen, dass einige Freunde die Beziehung nicht aufrechterhalten wollen oder ihnen keinerlei Unterstützung bieten, haben

Sie nur eine Möglichkeit: Akzeptieren Sie die Realität und distanzieren Sie sich von diesen „Freunden". Konzentrieren Sie sich darauf, dass Sie mit diesen Menschen keine wirklichen bzw. wichtigen Freunde verlieren. Sie durchleben einen Wandel. Einerseits vertiefen sich einige der bestehenden Beziehungen durch die Krise in ihrem Leben und andererseits schafft das Ende von Freundschaften Platz für neue Freunde.

Suchen Sie Trost und Gesellschaft

Nur die wenigsten von uns haben die Kraft, eine Trennung allein durchzustehen. Wir sind auf Hilfe und Rückhalt angewiesen. Wir brauchen Menschen in unserer Nähe, denen wir unser Herz ausschütten können, die uns in die Arme schließen und uns zuhören. Wir brauchen das Gefühl geliebt zu werden. Diese Sicherheit gibt uns einerseits die Kraft zu kämpfen und andererseits den emotionalen Rückhalt, um mit der neuen Situation zurechtzukommen. Sowohl während als auch nach der Trennung sind wir sehr verletzlich und verunsichert. In dieser Zeit sind wir auf Menschen angewiesen, die zu uns halten.

Während wir nach der notwendigen Unterstützung suchen, fühlen wir uns wie ein Goldgräber. Wir müssen die wertvollen Stücke von den wertlosen trennen und erkennen, wessen Nähe uns ermutigt und wessen Gesellschaft uns unnötig demoralisiert.

Emma litt nach Davids Auszug monatelang an Depressionen. Ihr Selbstbewusstsein war schon während ihrer Ehe auf ein Minimum gesunken und in den Tagen und Wochen nach der Trennung brauchte sie dringend Trost und Unterstützung. Sie erkannte, dass einige wenige

Freunde ihr die Kraft zum Überleben gaben. Aus der Beziehung zu ihrer Therapeutin entwickelte sich eine echte Freundschaft, die ihr bei den noch bevorstehenden Prüfungen sehr helfen sollte.

„Ich umgab mich mit starken Persönlichkeiten, die mir immer wieder sagten, was ich tun solle, und mich dazu brachten, auch wirklich entsprechend zu handeln. Ich lebte lediglich von einem Tag auf den anderen. Ich war unfähig mich auf längere Zeitspannen zu konzentrieren. Ich kam mir vor wie ein Zombie. An meinem Arbeitsplatz haben meine Kollegen mich zeitweise regelrecht mitgeschleppt. Meine Therapeutin und ihr Mann waren immer für mich da. Ich wusste, dass ich sie jederzeit anrufen konnte, wenn ich mich schlecht fühlte. Als ich einen Termin bei meiner Hausbank hatte, um meine finanzielle Situation zu regeln, waren sie für mich da. Als ich zum Scheidungstermin erscheinen musste, gingen sie mit mir hin."

Robert zog nach seiner Trennung von Susan in ein Obdachlosenasyl. In dieser Situation fand er völlig unerwartete Hilfe und Unterstützung. Durch seine Scheidung gewann er schließlich eine neue und enge Freundschaft. „Ich traf mich mit einer Freundin, die ebenfalls in Scheidung lebte. Sie hatte eine wirklich schwierige Zeit durchzumachen. Wir befanden uns beide in einer tiefen Krise. Stundenlang analysierten wir gegenseitig unsere Gefühle und erzählten uns, was wir für unsere Partner empfanden. Durch unsere Gespräche wurden wir uns über die Sinnlosigkeit unserer Verbitterung klar. Die Realität war, dass unsere Partner sehr gut ohne uns leben konnten. Wir redeten und redeten, häufig bis in die frühen Morgenstunden, und im Lauf der Zeit entwickelte sich eine wunderbare Freundschaft. Wir hatten völliges Vertrauen zueinander. Sie gab mir einen erstaunlichen Rückhalt. Ohne sie und ihre Unterstützung hätte ich es wahrscheinlich nicht geschafft."

Kate erhielt ebenfalls, so wie Emma und Robert, völlig unerwarteten Beistand. „Als ich meinen Arbeitskollegen erzählte, dass ich die Scheidung eingereicht hatte, stellte sich heraus, dass einer von ihnen sich in derselben Situation befand; er hatte sogar am selben Tag die Scheidung eingereicht. Wir konnten miteinander über all das sprechen, was wir anderen Menschen, die sich eben nicht in dieser Situation befanden, nicht erzählen konnten. Sie hätten kein Verständnis gehabt. Doch auch meine übrigen Arbeitskollegen waren mir eine sehr, sehr große Hilfe. Menschen, von denen ich es nie erwartet hätte, waren wirklich für mich da."

Kurze Zeit später hatte Kate ein Schlüsselerlebnis, das ihr die Veränderung in ihrem sozialen Umfeld vor Augen führte. „Für mich war eines der größten Probleme, dass ich plötzlich gezwungen war allein auszugehen. Ich hatte all meine früheren Kontakte verloren bzw. aufgegeben. Ich war wirklich freudig überrascht über die Freundlichkeit der Menschen. Wenn man offen auf andere Menschen zugeht und das Gespräch sucht, lassen sich viele neue Kontakte knüpfen. Eine Frau sagte einmal zu mir: ‚Für Sie ist das alles kein Problem – Sie sind ja verheiratet. Ich dagegen bin geschieden.' Ich erklärte ihr: ‚Nein, ich habe keinen Mann. Ich bin auch geschieden!' Sie lachte und fragte mich, ob wir nicht mal zusammen ausgehen wollten."

Knüpfen Sie produktive und
dauerhafte Freundschaften

Nachdem sich der erste Schock über die Trennung gelegt hat, wird Ihr soziales Umfeld von den Nachwehen erfasst. Im Lauf der Monate werden Sie lernen, sich von den Menschen zu trennen, die Ihnen nicht gut tun. Stattdessen werden Sie die Freundschaften pflegen, die gut für Sie sind. Sie können sich ein neues Umfeld schaffen oder auch das alte aufpolieren.

Nach diesen ersten Schritten sind Sie in der Lage, neue und konstruktive Beziehungen einzugehen.

Das ist natürlich nur möglich, wenn Sie dafür offen sind und nicht vor anderen Menschen oder neuen Situationen zurückscheuen. Dieser Prozess vollzieht sich bei jedem Menschen auf andere Weise, und jeder muss seinen bzw. ihren eigenen Weg finden.

Hugh wandte sich erst an einen Therapeuten, als er erkannte, dass er sich seinen Mitmenschen gegenüber nicht länger so verhalten konnte als sei nichts geschehen. Sein Therapeut forderte ihn auf neue Wege zu gehen und Menschen kennen zu lernen. Er fragte Hugh nach seinen Interessen und gemeinsam fanden sie heraus, dass Hugh schon immer gerne Badminton spielen lernen wollte. Hugh trat einem Verein bei und nahm auf diese Weise jede Woche an einem gesellschaftlichen „Ereignis" teil. June unternahm an den Wochenenden Abenteuertrips und stellte erfreut fest, dass die Menschen, die sie bei diesen Gelegenheiten kennen lernte, sie wirklich mochten und sie gerne wiedersehen wollten. Kate wurde Mitglied einer Frauenorganisation und unternahm eine Gruppenreise. Auf diese Weise lernte sie neue Leute kennen. Im nächsten Jahr will sie mit einigen ihrer neuen Freude wieder gemeinsam die Ferien verbringen. William fand in einer Selbsthilfegruppe sowohl den notwendigen Rückhalt als auch viele dauerhafte Freundschaften.

Hilfe erhalten wir von dort, wo wir sie am wenigsten erwarten. Den ersten Schritt müssen Sie jedoch selbst tun. Strecken Sie die Hand aus und geben Sie anderen die Chance, sie zu ergreifen. Sobald Sie dazu bereit sind, werden Sie auch neue Freunde finden. Wenn Sie wollen, sind diese neuen Beziehungen die Materialien, der Zement und die Steine, mit deren Hilfe Sie einen neuen Lebensstil und eine neue Identität gestalten können.

7

Die Genesung

Es war, als würde ich ein Haus bauen. Stein fügte sich auf Stein. Nach und nach erkannte ich, dass es in meinem Leben immer weniger Dinge gab, die mich traurig machten und immer mehr Dinge hervortraten, die mich glücklich machten. Wenn man Stein für Stein ein Haus baut, ist man sich meistens gar nicht darüber bewusst, was man da gerade macht und wie man es genau macht. Und eines Tages blickt man auf das fertige Gebäude und fragt sich: „Hab ich das wirklich alles allein geschafft?"

Vicky, 59, geschieden

Wir alle wissen, dass es sich bei einer Trennung um alles andere als ein angenehmes Erlebnis handelt. Darüber hinaus sind wir uns der Tatsache bewusst, dass dieses Ereignis uns tief im Innern trifft und unser Verhältnis zu unseren Freunden und Bekannten nachhaltig verändert. Wir erleben ein Gefühl der Unwirklichkeit. Wir machen die Bekanntschaft mit unseren düsteren Gefühlen. Unser innerster Kern liegt entblößt vor uns und wir fühlen uns unglaublich verletzlich. Wir wissen, dass uns diese Erfahrungen nicht erspart bleiben. Wie können wir da erwarten, dass wir uns in nur ein bis zwei Monaten wie Phönix aus der Asche erheben könnten? Wie können wir hoffen, uns innerhalb kürzester Zeit wieder zu erholen und unser Leben wieder aufzunehmen, als sei nichts geschehen?

In Kapitel 1 haben wir erfahren, dass eine Trennung als weitaus schmerzhafter empfunden werden kann als der Verlust des Partners durch einen Todesfall. Stirbt unser Partner, stehen uns Rituale zur Verfügung und unsere Umwelt hat vollstes Verständnis für unseren tragischen Verlust. Für eine Scheidung gibt es weder vergleichbare Rituale noch gesellschaftlich etablierte Verhaltensmuster. Kein Mensch kann uns sagen, was wir erleben, fühlen oder denken werden. Niemand weiß, wie lange unser Kummer anhalten wird, wie tief dieser Kummer sein wird und wie wir damit umgehen können bzw. sollten. Nachdem die erste Flut des Mitgefühls verebbt ist, bleibt oft nichts als gähnende Leere. Die Beziehungen zu unserem sozialen Umfeld verändern sich zusehends. Die Erfahrung, dass wir darauf keinerlei Einfluss haben, gleicht einem emotionalen Nachbeben.

Alles hat sich verändert. Wenn uns doch nur jemand sagen könnte, was wir tun sollen. Warum hat niemand eine Antwort auf die Fragen, wie lange unser Kummer und unsere Verwirrung anhalten werden und was wir tun können, damit das endlich aufhört? Wir haben so sehr um unseren Traum einer lebenslangen Partnerschaft gekämpft, und dann ist er ganz einfach zerplatzt. Wie lange wird es dauern, bis wir einen Silberstreif am Horizont entdecken? Sind es Monate oder sogar Jahre? Werden wir uns vielleicht nie wieder besser fühlen? Vielleicht fragen wir uns selbst: „Was ist nur los mit mir? Warum kriege ich keinen festen Boden mehr unter die Füße? Warum kann ich mich nicht aufraffen und mein Leben wieder in die Hand nehmen? Es hört einfach nicht auf. Was stimmt denn nicht mit mir?"

Die Trauerphase

Wenn Ihr Partner noch lebt, wenn er sogar noch Teil Ihres Lebens ist, weil Sie gemeinsame Kinder haben, warum sind Sie dann so niedergeschlagen? Worum trauern Sie eigentlich? Die Antwort lautet: Sie trauern um den Tod eines Traumes. Nur weil keine Beerdigung stattgefunden hat, heißt das nicht, dass Sie nicht unweigerlich in einen Prozess der Trauer geraten. Der Genesungsprozess wird durch die Verhandlungen über das Besuchsrecht für die Kinder, die Regelung der finanziellen Angelegenheiten bzw. die Aufteilung des gemeinsamen Besitzes und nicht zuletzt durch den einer gütlichen Einigung im Wege stehenden Wunsch, Ihrem Partner Steine in den Weg zu legen, wo es nur irgend geht, wesentlich erschwert. Stirbt ein geliebter Mensch, sind die Hinterbliebenen gezwungen loszulassen. Sie haben gar keine andere Wahl. Ist die Ursache für den Verlust eines geliebten Menschen jedoch eine Trennung, ist der Prozess des Loslassens weitaus komplizierter. Für denjenigen, der im Stich gelassen wurde, bedeutet das häufig – vor allem in den ersten Wochen und Monaten – die permanente Hoffnung aufzugeben, der Partner könnte doch noch zurückkehren. Wann sind wir in der Lage loszulassen? Diejenigen, die sich entschieden haben zu gehen, leiden häufig unter Schuldgefühlen und dem Gefühl versagt zu haben, was wiederum unaufhörlich an ihrem Selbstwertgefühl nagt. Wann hören diese Gefühle endlich auf? Eine Trennung ist kein kurzfristiges Ereignis in unserem Leben. Bevor der Regenerationsprozess einsetzen kann und Ihre Mitmenschen Ihnen dabei zur Seite stehen können, müssen Sie sich darüber im Klaren sein, dass die Monate und Jahre nach der Trennung eine Phase des Leidens einschließen. Kein Mensch kann Ihnen sagen, wie lange diese Phase andauern wird. Und während Sie sie durchleben, wird sie Ihnen garantiert unendlich lang vorkommen. Sie wachen morgens mit einer inneren Leere und einer unendlichen Traurigkeit auf. Sie erkennen, dass sich Ihre Stimmung nicht gebessert hat und können sich auch nicht vorstellen, dass sie es jemals tun wird.

Caroline wurde von ihrem Mann Tom mitten im Sommer verlassen. Die Welt um sie herum strotzte nur so vor Leben. Die Sonne schien und im Garten blühten die Blumen. Doch all das vergrößerte ihren Schmerz nur noch. „Für mich war das zunächst wirklich das Schlimmste an der ganzen Sache. Es war ein wunderschöner Sommer. Das Wetter war herrlich und ich hab es nicht einmal wahrgenommen. Obwohl ich Gartenarbeit liebe, tat ich keinen Handschlag. Die Freuden des Alltags machten mich nur noch trauriger. Wenn ich aufstand und sah, was für ein herrlicher Tag es war, konnte ich nur an all die Dinge denken, die wir als Familie an so einem Tag zusammen unternommen haben", erinnert sie sich. Dinge, die sie früher mit Freude erfüllt hatten, stimmten sie traurig. Sie war sich nicht bewusst, dass sie eigentlich jeden Tag Fortschritte in ihrer Genesung machte, dass jeder Tag einen weiteren Schritt nach vorn bedeutete. Versuchen Sie unter keinen Umständen, vor Ihrem Schmerz zu fliehen oder ihn zu unterdrücken. Erlauben Sie sich zu trauern. Wenn Sie eine Trennung hinter sich haben, ist es Ihr gutes Recht zu trauern. Wenn Sie sich das Recht auf diese Trauer zugestehen, erlauben Sie sich im Grunde genommen, sich zu erholen.

Nachdem Williams zweite Frau ihn verlassen hatte, versuchte er die Trauerphase zu umgehen. Anstatt sich mit seinen Gefühlen auseinander zu setzen, betäubte er seinen Schmerz durch eine neue Beziehung. Doch als das nicht funktionierte, musste er sich schließlich doch seiner überwältigenden Trauer stellen. Er erlitt einen Zusammenbruch und „heulte sich die Seele aus dem Leib". Erst nach diesem Ereignis schloss er sich einer Selbsthilfegruppe an. Und erst mit Unterstützung dieser Gruppe war er in der Lage, erste Schritte für seine Regeneration zu unternehmen. Durch Weinen können wir uns auf einfache Weise Erleichterung verschaffen und es ist völlig normal, wenn uns im Lauf der Wochen und Monate nach der Trennung von Zeit zu Zeit die Tränen kommen. Depressionen, Niedergeschlagenheit und das Gefühl, orientierungslos durchs Leben zu treiben, können einige Monate anhalten. Doch irgendwann werden Sie erkennen, dass Sie Fortschritte machen. Sie bemerken, wie Ihre Stimmung sich aufhellt. Erhalten Sie diesen Zustand so gut es geht und so lange wie möglich aufrecht. Die einfachsten Wahrheiten können uns bei unserem Heilungsprozess helfen: Trauer ist ein völlig normaler Prozess, den jeder durchleben muss, der sich von einem solchen Schlag wirklich erholen will. Auf die Trauer folgen Heilung, Erleichterung und schließlich Freiheit.

Nach einer Trennung ist es nicht immer einfach, sich seiner Trauer um den verlorenen Partner hinzugeben. Hierfür gibt es zwei Ursachen: Zum einen stehen uns für diesen Fall, wie schon gesagt, keine kulturellen Rituale zur Verfügung und zum anderen fürchten wir die Reaktionen unseres Umfelds auf die Trennung. Es ist eben niemand gestorben und es hat keine Beerdigung stattgefunden. Erschwerend kommt die Tatsache hinzu, dass einer Scheidung nach wie vor das gesellschaftliche Stigma des „Versagens" anhaftet. Aus diesem Grund erleben wir weniger Mitgefühl, als wenn unser Partner tatsächlich gestorben wäre. Die Menschen in unserer Umgebung tendieren im Großen und Ganzen zu der Auffassung, wir müssten uns nach einer Scheidung bedeutend schneller erholen als nach einem Trauerfall. Darüber hinaus ist eine Trennung heutzutage nichts Besonderes mehr. Aus diesem Grund werden die Auswirkungen einer Scheidung auf die Betroffenen häufig unterschätzt. Schließlich hat jeder von uns zumindest einen Freund oder eine Freundin, Bekannten oder Verwandten, der bzw. die schon eine Trennung hinter sich hat. Wo kämen wir denn hin, wenn wir allen so begegnen würden, als sei ihr Partner tatsächlich gestorben?

Das ist jedoch noch nicht alles: Ein Großteil der Menschen in Ihrer Umgebung hat Probleme mit Ihrer Trauer umzugehen. Sie wollen nichts weiter, als dass Sie möglichst bald Fortschritte in der Genesung machen, ob Sie nun schon dazu bereit sind oder nicht.

Der Druck von außen

Rekonvaleszenten einer Scheidung befolgen keine Zeitpläne. Einerseits verläuft die Genesung natürlich in verschiedenen Phasen, die jeder Betroffene durchlebt. Doch andererseits ist *jeder* Mensch ein Individuum und bestimmt sein eigenes Tempo. Es wurde noch keine „Eieruhr" für diese Zwecke entwickelt, die sich auf die verschiedenen Phasen einstellen lässt, damit Sie auch genau wissen, wann Sie die einzelnen Stadien Ihres Trauerprozesses abzuschließen haben. Sie werden einfach nur bemerken, dass Sie in Ihrem eigenen Tempo ganz allmählich Fortschritte machen.

Für Ihre Mitmenschen mag es so aussehen, als würden Sie sich nach wie vor in Selbstmitleid wälzen. Zunächst gibt es keine sichtbaren Hinweise auf Ihre Heilung. Im Lauf der Monate steigt der Druck von außen. Die meisten Menschen in Ihrem Umfeld können sich nicht in Ihre Lage hineinversetzen und erkennen nicht, dass Sie durch Ihre Scheidung zu einem Invaliden geworden sind, der Zeit braucht um sich zu erholen. Ob Ihre Arbeitskollegen, Bekannten und sogar einige Ihrer Freunde und Familienmitglieder es nun aussprechen oder nicht, sie erwarten von Ihnen, dass Sie sich endlich zusammenreißen und sich mit Ihrer Lage arrangieren.

Sie können sich dieser Erwartungshaltung unmöglich entziehen und stehen vor einem weiteren Dilemma. In den Monaten nach der Trennung sind Sie ohnehin äußerst verletzlich und auf die Unterstützung der Menschen in Ihrer Umgebung mehr denn je angewiesen. Sie wollen von ihnen hören, dass mit Ihnen alles in Ordnung ist und Sie sich absolut richtig verhalten. Ihre Ehe ist zerbrochen und Sie haben die Kontrolle über Ihre eigene kleine Welt verloren. In dieser Situation klammern Sie sich ganz automatisch an jeden Strohhalm, der Ihnen Halt verspricht. Wenn Ihr Umfeld einen Prozess in Frage stellt, den Sie nicht einmal selbst verstehen – schließlich sind Sie in diesem Prozess gefangen –, kommt zwangsläufig auch Ihnen irgendwann die Frage in den Sinn, ob Sie noch normal sind.

Monate nachdem Kates Ehe nach 23 gemeinsamen Jahren geschieden wurde, tauchte immer wieder dieselbe Frage auf. „Alle fragten mich: ‚Ist es nicht langsam an der Zeit, dass du dich mal nach einem anderen umschaust?' Meine Antwort war immer dieselbe: ‚Ich bin noch nicht so weit.' Doch als eine meiner Freundinnen sich kurz nach ihrer Scheidung wieder mit einem anderen Mann traf, fühlte ich mich unter Druck gesetzt. Ich fragte mich, ob ich verrückt sei, ob ich nicht zu lange brauchte. Sollte ich mich einfach wieder ins Leben stürzen? Wenn man vom Pferd fällt, soll man ja schließlich auch sofort wieder aufsteigen. Selbst meine Schwester erholte sich von ihrer Scheidung bedeutend schneller als ich. Innerhalb weniger Wochen hatte sie einen neuen Freund. Ich weiß noch, dass ich mich fragte, ob sie mehr Gefühle hätte als ich oder ob ich einfach ein dummes Huhn wäre. War ich nicht mehr in der Lage, noch einmal ein Risiko einzugehen?"

Doch ein Sturz von einem Pferd und eine Scheidung lassen sich nicht miteinander vergleichen. Diejenigen, die sich nach einer Trennung sofort in die nächste Beziehung stürzen, zahlen dafür einen hohen Preis. Für den Versuch, den Leidensprozess zu umgehen, bezahlen sie mit der psychischen Belastung durch unverarbeitete Emotionen. Wenn die Struktur der ersten Beziehung Schwachstellen aufwies und diese Schwachstellen auch noch die Ursache für den endgültigen Bruch waren, müssen sie aufgearbeitet und verstanden werden. Andernfalls laufen wir Gefahr, die alten Verhaltensmuster in unserer neuen Beziehung zu wiederholen. Wir ändern nicht unser Verhalten, sondern wechseln nur den Partner. Wir sind uns unserer negativen Verhaltensmuster nicht einmal bewusst und haben keine Ahnung, was wir da tun oder warum wir es tun. Wir haben keine Kontrolle über die weitere Entwicklung unserer Beziehung. Das Fundament dieser neuen Partnerschaft ist alles andere als solide.

Die Genesung ist keine angenehme Erfahrung, für niemanden. Aus diesem Grund würden wir gerne die Regeneration beschleunigen. Die vollständige Heilung unserer Wunden erfordert ein hohes Maß an Zivilcourage. Steigt der Druck von außen, brauchen wir sie erst recht. Wenn wir uns von der Außenwelt und deren Erwartungshaltung auf Dauer unter Druck setzen lassen, kann das unsere Regeneration empfindlich stören.

Caroline hat diese Erfahrung gemacht. Durch den Druck von außen erlitt sie mehr als einen Rückfall. Sobald sie den Druck bemerkte, sank ihr Selbstbewusstsein beträchtlich. „Ich glaube, sie konnten es einfach nicht mehr hören", berichtet sie. „Ich wurde von allen Seiten stark unter Druck gesetzt. Dadurch hatte ich mehr und mehr das Gefühl, mit mir stimme etwas nicht. Wurde ich nicht schnell genug mit meiner Scheidung fertig? Würde ich je damit fertig werden? Immer wieder musste ich mir, vor allem von meinen Bekannten, dieselbe Leier anhören: ‚Du lernst schon noch einen anderen kennen. Denk nur an die und die. Sie war in der Stadt auf einer Party und hat jemanden kennen gelernt.‘ Dass eine so unbedeutende und gut gemeinte Äußerung einen so verletzen kann …"

Die Menschen, die uns nahe stehen, machen sich häufig Sorgen, wenn sie bei uns keine Anzeichen der Besserung feststellen. Wer könnte das nicht verstehen? Keiner von uns sieht Menschen, die er liebt, gerne leiden. Wenn Ihre Freunde oder Ihre Familie Sie unter Druck setzen, erklären Sie ihnen freundlich aber bestimmt, dass Sie die Trennung in Ihrem eigenen Tempo verarbeiten müssen. Machen Sie deutlich, dass Sie Ihr Leben nach Ihren eigenen Vorstellungen und Bedürfnissen neu organisieren wollen. Erklären Sie ihnen, was in Ihnen vorgeht. Sagen Sie ihnen, dass Sie wissen, dass Sie sich irgendwann besser fühlen werden und dass Sie dafür so viel Zeit brauchen, wie Sie eben brauchen, auch wenn es anderen zu lange zu dauern scheint. Führen Sie ihnen vor Augen, dass Sie so besser verstehen lernen, was in Ihnen vorgeht. Und machen Sie ihnen klar, dass Sie während dieses Prozesses auf ihre Geduld und ihre Unterstützung angewiesen sind.

Wenn wir uns für unsere Regeneration Zeit nehmen und uns die Mühe machen, uns über unsere Gefühle und Bedürfnisse wirklich klar zu werden, können wir davon nur profitieren. Auf diese Weise schaffen wir eine solide Basis, auf der unsere neue Identität – unser neues Selbstverständnis – gedeihen kann.

Wenn Sie sich von mehr oder weniger flüchtigen Bekannten unter Druck gesetzt fühlen, denken Sie immer daran, dass Sie es mit Menschen zu tun haben, die Sie nicht besonders gut kennen. Sie können sich nicht in Ihre Lage hineinversetzen und haben keine Vorstellung von der Intensität Ihrer Gefühle. Es ist nahezu ein Ding der Unmöglichkeit, sich von dem Scheitern einer engen Beziehung, die einen festen Bestandteil des Lebens ausmachte, nicht unterkriegen zu lassen – zumindest direkt nach der Trennung. Hören Sie nicht auf diese Menschen. Sie selbst wissen am besten, was Sie für Ihre Genesung benötigen. Auch wenn wir es nicht wahrhaben wollen, der Schmerz ist ein hervorragender Lehrmeister und leistet uns während unserer Regenerationsphase große Dienste. Lernen Sie aus diesem Prozess und ziehen Sie Ihren Nutzen daraus.

Wie Sie den Heilungsprozess fördern

Nach einer Trennung überkommt uns unweigerlich das Gefühl, die Kontrolle über unser Leben verloren zu haben. Zunächst einmal haben der Schmerz und die Angst vor der Zukunft eine paralysierende Wirkung auf uns. Wir stehen wie ein verlorenes Kind vor dem Scherbenhaufen unseres Lebens. Das Ausmaß der Zerstörung ist gewaltig und scheint unsere Fähigkeiten, unser Leben wieder in die Hand zu nehmen, bei weitem zu übersteigen. Doch irgendwann haben wir die Trümmer unserer Beziehung beseitigt, der erste Schock, die Wut, die Verzweiflung und das Gefühl des Versagens haben sich gelegt. Sobald die Bestürzung über unseren Verlust abklingt, ist die Zeit der Regeneration angebracht.

Noch einmal von vorn beginnen bedeutet zunächst einmal mit den simpelsten Dingen anzufangen. Nehmen Sie zunächst grundlegende Dinge in Angriff, von denen Sie wissen, dass Sie sie schaffen können. Auf diese Weise machen Sie die Erfahrung, dass Sie sehr wohl in der Lage sind, diese Dinge *allein* zu bewältigen.

Lassen Sie uns die Scheidung von Bill und Vicky als Beispiel betrachten. Bill verließ seine Frau nach 31 Ehejahren wegen einer anderen Frau. Doch er kam zurück, wenn es ihm gerade passte und weckte in Vicky die Hoffnung, dass er sich eines Tages zwischen ihr und der anderen entscheiden würde. Vicky brauchte vier Jahre, um sich dieser erniedrigenden Situation schließlich zu entziehen. Jeder, der sie kannte, war ohnehin der Überzeugung, dass sie sich lediglich zum Narren machte, indem sie ihren Mann immer wieder mit offenen Armen empfing. Doch in den Jahren, in denen Bill sie an den Wochenenden besuchte, gingen in Vicky kaum merkliche, jedoch entscheidende Veränderungen vor. Ob sie sich dessen nun bewusst war oder nicht, sie bewegte sich mit großer Sicherheit in die richtige Richtung und fand schließlich die Kraft, die Scheidung einzureichen und ihr eigenes Leben zu leben. Bis zu diesem Zeitpunkt war sie sich der Tatsache, dass sie schon den Grundstein für ein neues eigenes Leben gelegt hatte, noch nicht einmal bewusst. Auch der kleinste Fortschritt war ein weiterer Stein für das Fundament ihres neuen Lebens. Sie benötigte diese vier Jahre für die schrittweise Entwöhnung von ihrem Mann sowie für die Entwicklung ihrer eigenen Stärken. Schließlich war sie in der Lage, zurückzublicken und sich ihr Werk zu betrachten. Der Schmerz war vorüber. Indem sie sich auf den Aufbau eines neuen Lebens konzentriert hatte, war sie offen für die erforderlichen Veränderungen.

Vicky berichtet: „Als er ging, fühlte ich mich schrecklich. Doch eine Äußerung meiner Mutter machte mich schließlich nachdenklich. Sie sagte mir, ich solle mich jetzt erst einmal nur um mich kümmern und es mir gemütlich machen. Und genau das habe ich getan. Zuerst habe ich das Schlafzimmer so eingerichtet, wie es mir gefiel. Ich habe mir einen Sessel vor den Fernseher gestellt und auf einem kleinen Tisch daneben alles aufgebaut, was ich für gemütliche Fernsehabende brauchte. Die Umgestaltung der Wohnung war ein Anfang für mich. So hatte ich ‚etwas Eigenes‘. Daraufhin habe ich mich auf all die schönen Dinge in meinem Leben konzentriert. Wenn ich z.B. im Winter Feuer im Kamin gemacht habe, betrachtete ich es und dachte mir: ‚Ja, das ist wirklich schön.‘ Sah ich auf einem meiner Spaziergänge einen blühenden Baum, so konnte ich mich an dessen Anblick erfreuen. Ich habe meine Aufmerksamkeit einfach auf all das gerichtet, was mir gefiel. Und wenn ich etwas Schönes erlebte, genoss ich es. Im Februar 1992 habe ich die Scheidung eingereicht und im November war die Scheidung offiziell. Plötzlich wurde mir bewusst, dass mir mein Leben ohne Bill sehr viel besser gefiel als mein Leben als seine Ehefrau.“

Die banalsten Kleinigkeiten gewinnen für uns in dieser Lebensphase eine große Bedeutung. Ein Dach über dem Kopf ist eines der Grundbedürfnisse für unser Überleben. Das sollten wir uns bewusst machen. So lernen wir unsere Wurzeln kennen und entwickeln ein Gefühl der Sicherheit. Innerhalb unserer eigenen vier Wände sind wir sicher und geborgen. Aus diesem Grund sollten wir unsere Wohnung nach unseren Vorstellungen gestalten und uns darin wirklich wohl fühlen. Unser Zuhause ist unsere Basis. Hier sammeln wir Kraft und Mut für größere Aufgaben. Wenn wir uns dorthin wie in ein Schneckenhaus zurückziehen und schmollen, verfallen wir in ein destruktives Verhaltensmuster. In unseren eigenen vier Wänden sollten wir uns jedoch kreativ und produktiv betätigen; das ist der Unterschied zwischen Passivität und Aktivität, zwischen Isolation und der Beschäftigung mit sich selbst. Indem wir unsere eigene kleine Welt gestalten, gewinnen wir die Kontrolle über unsere unmittelbare Umwelt.

Nach dem Ende ihrer 23-jährigen Ehe war ihr Zuhause für Kate ein Symbol der Sicherheit, etwas, auf das sie sich verlassen konnte. „Während meiner Mittagspause bin ich immer nach Hause gegangen, um mich zu erden. Ich machte einen großen Frühjahrsputz, dekorierte das Haus neu usw. Ich habe mir mein eigenes kleines Reich geschaffen. Sobald ich nervös wurde oder meine Stimmung sich verschlechterte, nahm ich einfach einen Pinsel in die Hand. So wurde das Haus wirklich mehr und mehr zu *meinem* Haus."

Sobald wir uns ein eigenes Reich geschaffen haben – eine Umgebung in der wir uns wohl und geborgen fühlen – , sollten wir uns über unsere Bedürfnisse klar werden. Von dieser Basis aus können wir ausziehen und uns der Neugestaltung unseres Lebens widmen.

Werden Sie sich über Ihre eigenen Bedürfnisse klar

Für eine erfolgreiche Genesung ist es erforderlich, dass wir uns unserer Bedürfnisse bewusst werden. Darüber hinaus müssen Sie Mittel und Wege finden, um ihnen gerecht zu werden. Hierzu ist nichts anderes erforderlich als verschiedene Verhaltensweisen sowie verschiedene Aktivitäten auszuprobieren. Sie müssen es nur versuchen. Ihre eigene Welt ist sozusagen eine Leinwand. Sie können sie mit großzügigen oder aber auch mit feinen Pinselstrichen versehen. Innerhalb Ihres persönlichen Reiches können Sie sich darüber klar werden, was Sie in Zukunft zu akzeptieren bereit sind und was nicht. Auf diese Weise unternehmen Sie die ersten vorsichtigen Schritte zum Aufbau eines neuen Lebens.

Sie sollten sich sehr genau überlegen, womit Sie in dieser Phase Ihres Lebens wirklich umgehen können. Kate war für ihre Familie immer eine starke Frau und sämtliche Familienmitglieder kamen mit ihren Problemen zu Kate. Doch in den Monaten nach ihrer Scheidung wurde ihr bewusst, dass sie selbst auch Bedürfnisse hatte. Kates innere Ressourcen waren begrenzt. Sie konnte unmöglich weiterhin jedem mit Rat und Tat zur Seite stehen. Kate erinnert sich: „Es war ein langsamer Prozess. Doch nach und nach erkannte ich, dass ich meine eigene Art hatte meine Gefühle auszudrücken. Einige Menschen habe ich wohl vor den Kopf gestoßen. Meiner Schwester habe ich ganz klar gesagt, dass ich jetzt einfach nichts von ihren Problemen hören wolle, schließlich hätte ich wirklich selbst genug davon. Sie solle mich gefälligst ein andermal anrufen. Ich hatte keine Lust mehr, den Fußabtreter für die anderen zu spielen. Zum ersten Mal in meinem Leben stellte ich meine Bedürfnisse in den Vordergrund."

Hugh erschien sein Leben nach der Trennung von seiner Frau Annie wie das Wasser in einem Glas. Dieses Glas war umgefallen und es war ihm ganz einfach unmöglich, das Wasser wieder in das Glas zu befördern. Hugh ließ zunächst einmal das eigentliche Problem außer Acht und konzentrierte sich auf seine kleinen alltäglichen Aufgaben, z.B. eine Mahlzeit für sich zu kochen oder für saubere und gepflegte Kleidung zu sorgen. Auf dieses Weise fand Hugh wieder zu sich selbst. Er lernte für sich selbst die Verantwortung zu übernehmen und seinen Bedürfnissen selbstständig nachzukommen. „Mir wurde klar, dass ich im materiellen Sinn überleben konnte. Ich konnte meinen Haushalt selbst in Ordnung halten, für meine Mahlzeiten und meine Kleidung sorgen und meine alltäglichen Pflichten erfüllen. Ich glaube, das war ein erster Schritt in die richtige Richtung. Ich hätte nie gedacht, dass ich für mich selbst sorgen könnte, bis die Situation es schließlich erforderte. Das war der Startschuss für meine Unabhängigkeit."

Caroline konnte ihren individuellen Bedürfnissen entsprechen, indem sie sich die erforderlichen Freiräume schaffte. Sie war seit ihrem 16. Lebensjahr mit Tom zusammen. Nach der Trennung fehlte ihr die gewohnte Alltagsroutine. Sie war dazu gezwungen, die Leere durch neue Tätigkeiten zu füllen und sich neue Quellen des Zeitvertreibs und der Lebensfreude zu erschließen. „Ich verwöhnte mich selbst nach Strich und Faden. Ich las stundenlang im Bett, was während meiner Ehe vollkommen unmöglich war. Ich lieh mir jeden Videofilm aus, den ich sehen wollte. Ich knüpfte völlig neue Kontakte. Aus welchen Gründen auch immer, mein Freundeskreis setzte sich mehr und mehr aus ebenfalls allein stehenden Männern und Frauen zusammen. Ich unternahm Dinge, die ich das letzte Mal als Teenager erlebt hatte."

Der Prozess der Selbstfindung führt schließlich zu einer Stufe der Aufklärung und des Verstehens. Letztendlich wird uns klar, dass es in unserer Macht liegt, zu überleben und uns persönlich weiterzuentwickeln.

Licht am Ende des Tunnels

Für jeden, der einmal eine Trennung erlebt hat, kommt früher oder später der Zeitpunkt, an dem er das Licht am Ende des Tunnels erblickt. Obwohl wir nie damit gerechnet hätten, schauen wir wieder optimistisch in die Zukunft. Die Gefühle des Verlusts und die Gedanken an all unsere vergeblichen Bemühungen und Investitionen in unsere Partnerschaft lassen uns zunächst in einem Strudel der Verzweiflung versinken. Wir haben alles verloren. Langsam aber verändert sich unser Leben zum Positiven. Jeder auch noch so geringe Versuch, den wir unternehmen, um mit der Situation fertig zu werden, gibt unserem Leben Substanz, ist ein weiterer Stein für das Fundament eines neuen Lebens.

Zunächst sind es nur kurze Momente, in denen wir uns wohl fühlen. Später können wir wieder lächeln oder sogar lachen. Wir schaffen Dinge, von denen wir uns nie hätten träumen lassen, dass wir jemals die Kraft für sie aufbringen würden. Ganz allmählich kehrt unser Selbstvertrauen zurück. Selbstverständlich erleben wir immer wieder Rückschläge und an manchen Tagen fühlen wir uns miserabel.

Manchmal erscheinen all unsere Bemühungen sinnlos und wir versinken erneut im Sumpf unseres Kummers und unserer Erinnerungen. Doch je eifriger wir uns um den Aufbau eines neuen Lebens bemühen, desto seltener treten diese Rückfälle auf. Zunächst scheint uns die Zukunft trostlos, doch das geht vorbei. Wir erholen uns immer schneller und nachhaltiger von den Rückfällen.

Bei der Rekonvaleszenz handelt es sich um einen graduellen Prozess, bei dem wir nur Schritt für Schritt vorgehen können. Irgendwann erkennen wir den Silberstreif am Horizont, an den wir nicht glauben konnten. Wenn wir dort angelangt sind, tun sich uns völlig neue Wege auf.

Jeder Mensch hat eine andere Einstellung zu diesem Prozess, die durch den individuellen Umgang mit der Trennung sowie den persönlichen Maßstäben, an denen wir unsere Fortschritte messen, bestimmt wird. Emma hat z.B. ihre finanzielle Unabhängigkeit als Richtwert für ihre Fortschritte verwendet. Während ihrer Ehe hatte sie keinen Zugang zu ihrem Geld und war finanziell von ihrem Mann abhängig. Nach der Scheidung musste sie sich erstmals selbst um ihre Finanzen kümmern und die Tatsache, dass sie dazu in der Lage war, gab ihr Selbstvertrauen. „Ich war nicht mehr so depressiv", berichtet sie. „Eines Tages während eines Spaziergangs dachte ich bei mir: ‚Ja, mir geht es wieder besser.' Ich wurde nicht über Nacht zu einem neuen Menschen. Das geschah ganz allmählich. Ich erkannte, dass ich mit meinem Geld umgehen konnte, obwohl ich vorher keinerlei Einfluss auf unsere finanziellen Angelegenheiten hatte. Ich zahlte meine Schulden ab, beglich meine Rechnungen und es funktionierte. Es waren die kleinen Dinge, die mir sehr geholfen haben."

William maß seine Fortschritte dafür, inwieweit er Jacqueline loslassen konnte, an seiner Fähigkeit die Hoffnung aufzugeben, dass sie doch noch zu ihm zurückkehrt, und an der Tatsache, dass sein Selbstbewusstsein nicht länger von einem Partner abhängig war. „Es war wie ein Sonnenaufgang. Langsam, ganz langsam über einen Zeitraum von ungefähr zwei Jahren. Angefangen hat es nach meinem Nervenzusammenbruch. Nachdem ich mich richtig ausgeheult hatte, überkam mich eine unendliche Erleichterung. Ich war nicht länger von Jacqueline abhängig. Vor meinem Zusammenbruch ging alles so lange gut, bis ich einen Anruf von ihr erhielt oder sie traf. Dann war alles wieder da. Jetzt wirft mich das nicht mehr so leicht zurück – ganz egal, was passiert. Wenn ich mich schlecht fühle, hat das nichts mehr mit meiner Scheidung zu tun. Heute bin ich ratlos, wenn z.B. mein Sohn die Schule schwänzt. Manchmal denke ich schon, dass solche Situationen leichter zu bewältigen wären, wenn wir noch zusammen wären. Doch wir sind nicht mehr zusammen. Also denke ich mir: ‚Ich werde auch alleine damit fertig.‘"

Caroline erkannte, dass sie ihre Freizeit auch genießen kann, wenn sie nicht Teil einer traditionellen Familie ist. „Mein Beruf war mein eigentlicher Lebensretter", sagt Caroline. „Als ich noch verheiratet war, habe ich es geliebt, Pläne für das gemeinsame Wochenende mit meiner Familie zu schmieden. Doch nach unserer Trennung war das vorbei. Solange ich täglich zur Arbeit gehen konnte, fühlte ich mich besser. Ich ging arbeiten, kam müde nach Hause, sah fern und ging dann schlafen. Das war alles. Langsam aber sicher, ich glaube ungefähr nach neun Monaten, fühlte ich mich besser. Ich stand morgens gerne auf und freute mich wieder aufs Wochenende. Ich ging allein aus und hatte viel Spaß dabei. Langsam aber sicher dämmerte es mir: ‚Es gibt ein Leben nach der Scheidung.‘"

Egal wie lange es dauert, bis Sie sich von der Scheidung erholt haben, irgendwann schauen Sie zurück und sind ebenso wie Vicky erstaunt über Ihre Fortschritte. Dieser

Prozess kann sich über Monate, ja sogar Jahre hinziehen. Doch es gibt nun mal keine Eieruhr für Kummer, an der Sie sich orientieren können. Kein Klingeln, das Sie daran erinnert, dass es vorbei ist und Sie wieder aus Ihrem Versteck hervorkommen können. Wenn der Gedanke an die Monate und Jahre nach Ihrer Trennung Ihnen unerträglich erscheint, machen Sie sich bewusst, dass jeder noch so kleine Versuch, Ihrem Leben eine neue Struktur, einen neuen Inhalt und einen neuen Sinn zu geben, Ihnen das Überwinden der nächsten Hürde wesentlich erleichtert. Der Zustand des Schmerzes und des Leidens, der Leere und der Einsamkeit ist kein statischer. Momente echter Freude durch erste Erfolge, durch Selbsterkenntnis und persönliches Wachstum hellen den Prozess immer wieder auf. Im Lauf der Zeit dauern diese Momente immer länger an und häufen sich innerhalb der folgenden Tage, Wochen und Monate.

Wenn Sie Ihr Leben wieder als lebenswert empfinden und die Kraft finden, etwas aus Ihrem Leben zu machen, ist das Schlimmste vorüber. Wenn Sie erkennen, dass Sie es auch allein schaffen, steigt Ihr Selbstwertgefühl und Ihr Vertrauen darin, dass Sie sich ein neues Leben aufbauen können, ganz egal, wie dürftig die Anfänge auch sein mögen. Vergleichen Sie diesen Prozess mit dem Trainieren von Muskeln, die Sie lange nicht mehr gebraucht haben. Seit Ihrem Entschluss, Ihr Leben mit jemand anderem zu teilen und einen wichtigen Teil Ihrer Identität aufzugeben, haben Sie diese Muskeln nicht mehr eingesetzt.

Sie werden schon bald Ihre eigene Identität als eine innere Quelle der Kraft erkennen. Auch wenn diese Quelle während Ihrer Beziehung fast versiegt ist, können Sie sie immer noch anzapfen. Während Sie sich Ihrer Bedürfnisse und Ihrer eigentlichen Stärke bewusst werden, legen

Sie diese Quelle wieder frei, so dass Sie daraus wieder Energie schöpfen können. Während Sie sich ein neues Leben aufbauen, kreieren Sie gleichzeitig das Umfeld, aus dem Ihre neue Identität als Single hervorgeht. Hierin liegt der Schlüssel zur nächsten Station auf Ihrer Reise.

8

Soziales Stigma und Selbstwert

Nachdem die Scheidung eingereicht war, wünschte ich mir ernsthaft, er hätte einen tödlichen Autounfall, bevor die Scheidung offiziell ist. Ich hatte große Schuldgefühle deswegen. Doch als Witwe würde mir jedenfalls mehr Respekt entgegengebracht als nach einer Scheidung. Natürlich wäre es schrecklich, wenn er auf diese Weise sterben würde, doch ich hätte ein wesentlich besseres Image.

Kate, 46, geschieden

Wenn wir aus der sicheren Hülle einer Beziehung geschleudert werden, müssen wir uns diversen unangenehmen Tatsachen stellen. Als wenn es nicht schon genug wäre, dass wir mit der schmerzhaften Erfahrung einer Trennung zurechtkommen müssen, hält unsere Umwelt noch weiter Lektionen für uns bereit. Das Ende einer Beziehung und unser neues Leben als Single ist mehr als nur ein Prozess, den wir durchleben müssen. Wenn Ihr Partner und Sie sich voneinander trennen, betrachten Ihre Mitmenschen Sie beide automatisch als zwei neuartige „Endprodukte". Und wie jedes andere Produkt auch, erhalten Sie ein entsprechendes Etikett. Anhand dieses Etiketts ordnen die Menschen in Ihrer Umgebung Sie in die entsprechenden Kategorien ein. Nach einer Trennung erhalten Sie das Etikett „geschieden" bzw. „getrennt". Durch diese Bezeichnung erhalten Sie Ihren Platz in einer

Schublade. Ihre Mitmenschen wissen, wo Sie einzuordnen sind und wie sie Ihnen zu begegnen haben. Wenn Sie so wollen, handelt es sich bei diesen Etiketten um eine Form gesellschaftlicher Stenografie.

Die einzelnen Etiketten sind von entscheidender symbolischer Bedeutung für uns und die Gesellschaft, in der wir leben. Zwischenmenschliche Beziehungen der unterschiedlichsten Arten gibt es seit der Entstehung der Menschheit. Sie sind für das Überleben der menschlichen Rasse von fundamentaler Bedeutung. Im Lauf der Jahrhunderte hat sich um die Beziehung ein Geflecht aus Zeremonien, Ritualen, Regeln und etwas Mystischem herausgebildet. Der Großteil der Menschheit hegt nach wie vor die Überzeugung, die „Kleinfamilie" bilde die Basis der Gesellschaftsordnung. Die Ehe gilt als Symbol für das Wachstum und das Überleben der Gesellschaft. Seit dem ersten Auftauchen der partnerschaftlichen Beziehungsform ist der Glaube an deren Erfolg und Notwendigkeit ungebrochen. Wir sind nicht in der Lage, uns der symbolischen Stärke einer solchen Verpflichtung zu entziehen. Aus dieser Verbindung entwickelte sich im Lauf der Zeit die Ehe, wie wir sie heute kennen; einerseits eine gegenseitige, vertraglich vereinbarte, soziale Verpflichtung und andererseits ein spiritueller Bund. Die Ehe wird heute als ein vor Gott und der Gesellschaft abgeschlossener Vertrag zwischen zwei Menschen betrachtet.

Aus diesem Grund gilt heutzutage noch das Gebot „… bis dass der Tod euch scheidet". Wenn wir nun diesen Vertrag brechen bzw. auflösen, handeln wir entgegen tief verwurzelter Überzeugungen und Erwartungen. Die beteiligten Personen werden von der Gesellschaft in gewisser Weise als Versager betrachtet, unfähig den Verpflichtungen zu entsprechen, durch die wir unsere eigene moralische Integrität beurteilen. Eine Scheidung ist heutzutage nichts Besonderes mehr, und die Scheidungsrate steigt nach wie vor. Aus diesem Grund müsste die Gesellschaft einer Scheidung gegenüber inzwischen eine weitaus tolerantere Haltung eingenommen haben. Doch ist das wirklich der Fall? Warum fühlt sich jeder, der eine Scheidung hinter sich hat, immer noch als Versager? Warum ist das Etikett „geschieden" den Betroffenen so unangenehm? Warum müssen Sie für das Scheitern Ihrer Beziehung büßen? Warum zieht eine Scheidung oftmals eine drastische Veränderung im gesellschaftlichen Leben der Betroffenen nach sich?

Die Ursachen für das soziale Stigma, das sowohl der Scheidung an sich als auch den beteiligten Personen nach wie vor anhaftet, sind tief in unserer Kultur verwurzelt. Der Glaube an die Ehe, die ein Leben lang hält, gleicht einem Atavismus und die Menschheit wird lange brauchen, um sich von dieser Überzeugung zu lösen bzw. sich an die veränderte Situation anzupassen.

Auch wenn wir uns alle über die statistischen Daten hinsichtlich der Dauer einer Ehe in der heutigen Zeit im Klaren sind, wird die öffentliche Meinung nach wie vor von dem Grundsatz „… bis dass der Tod euch scheidet" beherrscht. Scheitert unsere Beziehung, haben wir das Gefühl versagt zu haben und unser Selbstvertrauen sinkt beträchtlich. Die Gesellschaft hält uns darüber hinaus den Spiegel vor, der unsere innersten Empfindungen reflektiert. Auf diese Weise wird unser negatives Selbstbild nur noch verstärkt. Wir werden zu Außenseitern der Gesellschaft.

Das Gefühl des Ausgeschlossenseins

Nach einer Scheidung vollzieht sich im gesellschaftlichen Umfeld der Betroffenen ein dramatischer Wandel. Wir müssen bestehende Freundschaften aufgeben und neue Kontakte knüpfen. Wir müssen Zurückweisungen akzeptieren lernen. Denn viele unserer bisherigen Freunde werden uns nach der Trennung fallen lassen oder sich im Lauf der Zeit nach und nach von uns zurückziehen. Wir müssen uns neue Quellen der Unterstützung erschließen. Nach einer Scheidung verändert sich unser gesellschaftliches Leben oftmals so gravierend, dass uns nur einige wenige Kleinigkeiten daran erinnern, wie es einmal ausgesehen hat. Während wir früher gemeinsam mit unserem Partner regelmäßigen Kontakt zu einigen Paaren pflegten, treffen wir heute nur noch gelegentlich einen der beiden. Wir fühlen uns nicht mehr gesellschaftsfähig, wir scheinen bei „gesellschaftlichen Ereignissen unter Paaren" nicht mehr tragbar zu sein. Wir sind zu Außenseitern geworden. Alles, was uns bleibt, ist ein Blick durch das Fenster auf die Ereignisse, auf die Gesellschaft der Menschen, auf die gegenseitige Verbundenheit und Wärme, die einmal selbstverständlicher Bestandteil unseres Lebens waren.

Doch das ist erst der Anfang. Sobald Sie auf der Suche nach Unterhaltung, Vergnügen und guter Gesellschaft das Haus verlassen, werden Ihnen die Augen über die Basis unserer Gesellschaftsordnung geöffnet – Paare und Familien. Sie gehören einfach nicht mehr dazu. Die Botschaft wird immer deutlicher. Sie sind nicht länger Mitglied dieses Klubs, in dem Sie früher immer willkommen waren. Bis zu diesem Zeitpunkt waren Sie sich vielleicht nicht einmal über die Struktur und die Funktionsweise unserer

Gesellschaft im Klaren. Ihnen war das Ausmaß des Unterschieds zwischen Paaren und allein stehenden Menschen nicht einmal bewusst. „Sie" versus „die anderen", Sie als neuer und nicht immer freiwilliger Single und die anderen, die in einer festen Partnerschaft leben.

Ungefähr ein Jahr nach ihrem Nervenzusammenbruch wurde Caroline das Ausmaß dieses Unterschiedes klar. „Ich weiß jetzt, dass diese Zweiteilung sich eigentlich auf alle Lebensbereiche erstreckt. Die Tatsache, dass man nicht eingeladen wird, wenn Paare unter sich sein wollen, ist nur ein Aspekt. Mein gesellschaftliches Leben hat sich komplett verändert. Ich verbringe meine Freizeit heute auf ganz andere Weise, zum größten Teil mit Menschen, die sich in derselben Situation befinden wie ich. Doch auch im ganz normalen Gespräch begegnet man mir als Single mit großem Misstrauen. So als wäre ich ein Mensch zweiter Klasse. Sie degradieren dich auf mentaler Ebene. Du bist nicht länger Teil der geheiligten Massen. Singles entsprechen nicht dem statistischen Wert von Mann und Frau mit 2,3 Kindern. Du bist einfach anders als die anderen."

Emma, die nach 18 Jahren Ehe in den 40ern wieder Single wurde, fasst diese Erfahrungen kurz und treffend zusammen: „Du wirst nicht länger eingeladen. Die Gesellschaft ist auf Paare ausgerichtet; so einfach ist das. Wer nicht Teil eines Paares ist, wird von der Gesellschaft nicht akzeptiert."

In Klubs, Gesellschaften und sozialen Organisationen herrscht in der Regel eine stillschweigende Vereinbarung, ein unsichtbares Band, das die Menschen zusammenhält. Für ein Land ist es der Patriotismus. Für Aktivisten ist es der Kampf für die gemeinsame Sache. Bei Vereinen sind es die gemeinsamen Interessen bzw. das gemeinsame

Hobby. Das Bindeglied, der Klebstoff, wenn Sie so wollen, ist ein Gefühl der Übereinstimmung. Durch diese Einmütigkeit entsteht wiederum ein Gefühl der Zugehörigkeit. Unsere Gesellschaft lässt sich als die abgewandelte Form eines Vereins betrachten, und in diesem Verein herrscht das Bindeglied der Übereinstimmung vor. Ähnlich wie der Zutritt zur Arche Noah, ist auch der Eintritt in diesen Verein nur paarweise erlaubt. Die „Beziehungsgesellschaft" durchzieht alle Schichten, andere Klubs und Einrichtungen. Klassenunterschiede sind hier unbekannt.

Diese Erfahrung machte auch Vicky. Nachdem ihr Mann sie nach mehr als 30 Ehejahren verlassen hatte, mischte sie sich als allein stehende Frau beherzt wieder in das gesellschaftliche Leben. Vicky berichtet: „Ich besuchte ein Tanzlokal in der Stadt und anfangs war auch alles wunderbar. Doch dann stellte ich fest, dass dort fast ausschließlich verheiratete Paare anwesend waren. Ich hab mich richtig darüber aufgeregt. Mich machte das sehr traurig. Daraufhin ging ich lieber zu einer Frauenorganisation. Ich nahm ungefähr zwei Jahre lang regelmäßig an den Treffen teil. Diese Frauen verhielten sich eher wie eine große Clique. Sie saßen dort stundenlang beisammen und redeten über ihre Kinder und ihre Ehemänner. Wenn es um die Ehemänner ging, fühlte ich mich auch hier immer ausgeschlossen; so als stünde ich draußen vor einem hell erleuchteten Raum und dürfte nicht hinein. Ich hatte eben keinen Mann."

Fühlen wir uns von der Gesellschaft in irgendeiner Form ausgeschlossen, hat das nachteilige Auswirkungen auf unser Selbstbewusstsein. Sobald Sie sich nicht zugehörig fühlen, haben Sie das Gefühl nicht als das respektiert zu werden, was Sie nun einmal sind. Die Gesellschaft misst unseren Wert ausschließlich an unserem Status –

Paar oder Single. Warum hängt eine Einladung davon ab, ob wir allein oder im Doppelpack erscheinen? Caroline erinnert sich noch sehr gut daran, dass ihre Freunde immer wieder sagten: „Du musst auch kommen!" Doch sie wusste nur zu genau, dass sie es nur aus Pflichtbewusstsein sagten. Ihr war klar, dass es ihnen ebenso peinlich wäre wie ihr. Es war nicht so, dass sie keine Zeit mehr mit ihren Freunden gemeinsam verbringen wollte. Sie war sich nur zu sehr der Tatsache bewusst, dass alle Anwesenden, einschließlich ihr selbst, das Gefühl haben würden, dass sie nicht dazugehörte.

Wenn Sie geschieden sind oder auch einfach nur als Single leben, stellen Sie eine geeignete Zielscheibe für eine subtile Form gesellschaftlicher Vorurteile dar. Jeder, der nach einer langjährigen Beziehung wieder alleine war, kennt die Situation nur zu gut. Durch die Trennung wurden Ihnen gewissermaßen Ihr Titel, Ihre Respektabilität und Ihre soziale Freiheit aberkannt. Sie sind nicht länger Mitglied der Beziehungsgesellschaft. Sie haben etwas verloren, etwas, das Ihnen Sicherheit gab, das Ihnen die Türen in die Häuser anderer Menschen öffnete; etwas, das Ihnen die Freiheit gab auszugehen, wann Sie wollten und wohin Sie wollten, ohne Gefahr zu laufen, das fünfte Rad am Wagen zu sein.

Mit dem Verlust der Wärme und des Schutzes Ihrer Partnerschaft verlieren Sie gleichzeitig Ihren sozialen Status.

Der Verlust des sozialen Status

Die Trennung von Ihrem Partner zieht eine Vielzahl gesellschaftlicher Konsequenzen nach sich. Sie werden im alltäglichen Umgang mit Ihren Mitmenschen bemerken, dass diese anders auf Sie reagieren. Es besteht kein Zweifel darüber, dass eine Trennung den Verlust des sozialen Status impliziert.

Selbst die Bezeichnung „geschieden" hinterlässt bei vielen Menschen noch immer einen seltsamen Nachgeschmack. Fühlen Sie sich etwa wohl in Ihrer Haut, wenn Sie sagen müssen, dass Sie geschieden sind? Ersetzen Sie die Bezeichnung „Scheidung" einmal durch den Ausdruck „gescheiterte Ehe". Verstehen Sie jetzt, warum es Ihnen so unangenehm ist über Ihre Scheidung zu sprechen? „Gescheiterte Ehe" ist für den Großteil der Bevölkerung das Synonym für „Scheidung". Die symbolische Bedeutung der Ehe ist zu groß, als dass das Wort „Scheidung" keine negativen und für die Betroffenen häufig verletzenden Assoziationen wecken würden.

Vicky versuchte ihren gesellschaftlichen Status nach der Scheidung aufrechtzuerhalten, indem sie sich weiterhin als „Mrs."* ausgab. Obwohl sie sich ohne ihren Mann deutlich wohler fühlte, wollte sie ihren sozialen Status beibehalten. „Ich fühlte mich meiner Respektabilität und meines gesellschaftlichen Stands beraubt. Und nachdem ich mehr als 30 Jahre tatsächlich verheiratet war, empfand ich es als mein gutes Recht, mich weiterhin als ‚Mrs.' zu titulieren."

Kate bemerkte, wie ihre Umwelt sie einfach in den sozialen Status einer Ehefrau zwängte. „Ich glaube, für sie war es einfach selbstverständlich, dass es irgendwo auch den dazugehörigen ‚Mr.' gibt." Caroline machte ähnliche Erfahrungen, die ihr ganz und gar nicht recht sind. „Alle nennen mich ‚Mrs.'. Mich ärgert das. Ich trage keinen Ehering. Den habe ich schon vor langer Zeit abgelegt. Mich regt es auf, dass die Menschen permanent Vermutungen

---

* In England und Amerika wird bei der Anrede nach wie vor zwischen verheirateten Frauen, die mit „Mrs." angesprochen werden, und ledigen Frauen, die mit „Miss" angesprochen werden, unterschieden (Anm. d. Red.).

über den Familienstand anstellen. Sie können sich gar nicht vorstellen, dass jemand nicht verheiratet ist. Schon allein weil ich zwei Kinder habe, muss ich zwangsläufig verheiratet sein. Sind es nicht die Kinder, finden sie andere Gründe, auf die sie ihre Vermutungen stützen. Ich fürchte, die Idee einer unverheirateten Frau übersteigt einfach ihr Vorstellungsvermögen. Ich empfinde mich inzwischen als eigenständiges Wesen. Vielleicht ärgere ich mich darum so, wenn die Leute mich als ‚Mrs.' bezeichnen bzw. mir einen Ehemann andichten."

Die meisten Menschen fühlen sich einfach wohler, wenn sie glauben können, Sie seien verheiratet. Ganz egal, wie schwer es Ihnen auch fallen mag, Sie müssen Ihr eigenes Selbstwertgefühl ganz klar vor den permanenten und quälenden Erinnerungen an Ihr „Versagen", die an Sie herangetragen werden, bewahren.

Der Verlust des Standes als natürliche Folge einer Trennung verändert in den meisten Fällen die Haltung Ihrer Umwelt gegenüber Ihrer Person. Als Ursache für diese Veränderungen lässt sich nicht immer ausschließlich Ihre Trennung anführen – die Gründe liegen oftmals sehr viel tiefer. Vicky machte z.B. die Erfahrung, dass die Veränderungen sich über ihr ganzes Leben erstreckten: angefangen bei ihren Freunden bis hin zum Grundstücksmakler. „Sie verhielten sich in meiner Gegenwart befangen. Sie wussten nicht, wie sie jemandem begegnen sollten, der offensichtlich alleine zurechtkommen musste. Beim Verkauf meines Hauses erlebte ich das besonders deutlich. Sowohl die Arbeiter und Lieferanten als auch der Makler und diejenigen, die das Haus besichtigten, und nicht zuletzt die Möbelpacker, einfach alle, behandelten mich, als wenn sie sagen wollten: ‚Oh, das ist ja nur eine allein stehende Frau. Die brauchen wir nicht ernst zu nehmen.' Ich glaube nicht, dass es mit meiner Scheidung zu tun hatte. Ich hatte keinen Mann. Das war der Grund; darum brachte mir keiner dieser Menschen wirklich Respekt entgegen."

Wenn wir allein leben, werden wir von anderen häufig erniedrigt. Die Demütigungen sind in den wenigsten Fällen offensichtlich. Hierbei handelt es sich um eine äußerst subtile Form der Herabwürdigung. Hinter den vagen Andeutungen verbirgt sich jedoch unterschwellig eine Haltung unserer Gesellschaft. Ein Leben ohne Partner ist gesellschaftlich nicht akzeptabel. Leben Sie nach einer Trennung wieder allein, finden Sie sich in einer gesellschaftlichen Randgruppe wieder. Eine Grauzone, in der Sie sich verloren fühlen. Und für die Betroffenen ist es alles andere als einfach, aus dieser Position heraus gesellschaftlich wieder Fuß zu fassen. Sie müssen mit Schrecken erkennen, was es wirklich heißt allein zu sein.

Die Angst vor dem Alleinsein

Der Verlust des gesellschaftlichen Status berührt die verschiedensten Bereiche Ihres Lebens. Dabei spielt es keine Rolle, ob Sie verheiratet waren oder in einer Beziehung ohne Trauschein gelebt haben. Das Etikett „geschieden" bzw. „getrennt" beinhaltet die Assoziation von Scheitern. Egal, welche Umstände letztendlich zur Scheidung geführt haben, die meisten Menschen vermuten dahinter eine Charakterlosigkeit der Betroffenen. Doch der Imageverlust macht sich auch auf einer weiteren Ebene bemerkbar. Sie sind wieder allein und das schließt nicht nur eine Einschränkung Ihrer Freiheit auf dem gesellschaftlichen Parkett ein. Darüber hinaus sind sie zur Zielscheibe für ein weites Spektrum von Reaktionen Ihrer

Umwelt geworden. Dieses Spektrum reicht von Mitleid über Zurückweisung bis hin zur Diskriminierung. Ist es unter diesen Umständen nicht völlig natürlich, dass viele Menschen lieber in einer unbefriedigenden Partnerschaft leben als sich der „gesellschaftlichen Kälte" auszusetzen?

Zwischen dem sozialen Stigma einer „gescheiterten" Ehe und dem Stigma als Single zu leben ist jedoch zu unterscheiden. Viele Menschen halten aus Angst vor dem Alleinleben lieber eine solche gescheiterte Beziehung aufrecht, die sie nicht glücklich macht. Allein leben bedeutet den Verletzungen durch die Gesellschaft ungeschützt ausgeliefert zu sein. Man verliert den Schutz der Beziehungsgesellschaft, durch die und in der unser Leben klar definiert ist. Wenn wir nicht mehr Teil dieser Gesellschaft sind, müssen wir unser Leben neu definieren und uns neue Lebensziele stecken. Vielen von uns fehlen das Selbstbewusstsein und die Überzeugung, dass sich auch allein eine Existenz aufbauen lässt.

Kate fühlte sich erst vier Jahre nach der Trennung mit ihrem neuen Leben wirklich wohl. Sie hatte gelernt, ihren Bedürfnissen zu entsprechen und sich ein Leben voller Aktivitäten zu erschaffen. Letztendlich bereute sie sogar, dass sie sich nicht schon früher hatte scheiden lassen. „Ich sah mich um und betrachtete mir all die so genannten ‚glücklichen Ehen'. Ich kam zu der Einsicht: ‚Mich würde das nicht glücklich machen.' Ich könnte die Gewissheit, eine Beziehung nur aus Angst vor dem Alleinsein aufrechtzuerhalten, nicht ertragen. Und ich bin sicher, dass genau das bei vielen Paaren der Fall ist. Die einfache Erklärung dafür liegt in unserer Umwelt: Allein stehende Menschen werden von dem Großteil der Gesellschaft missachtet. Einerseits bedaure ich das Scheitern meiner Ehe wirklich von ganzem Herzen, doch andererseits genieße ich mein Leben als Single. Ich wünschte, ich hätte schon früher den Mut zur Scheidung gefunden. Dann hätte ich mich schon früher so wohl gefühlt wie heute."

June erinnert sich noch genau an einen Tag fünf Jahre nach ihrer Trennung. An diesem Tag erkannte sie, wie viel ihr ein Leben als Single eigentlich bedeutete. „Ich finde es immer wieder erstaunlich, wie verheiratete Paare sich verhalten. Ständig sprechen sie davon, was sie mögen und was sie nicht mögen. Sie erzählen sich sogar, was sie gerne trinken! Bei einem meiner Wochenendtrips beobachtete ich ein Ehepaar in einem Pub. Einer der beiden sagte: ‚Du trinkst doch nie Wodka.' Darauf erwiderte der andere: ‚Natürlich trinke ich Wodka. Ich hab sogar schon oft Wodka getrunken.' Der erste: ‚Das ist doch gar nicht wahr.' In diesem Augenblick wurde mir klar, dass ich so etwas nie wieder erleben wollte. Wenn man einem alten Ehepaar zuhört, ist es immer wieder dasselbe. Es gibt keine Kompromisse, die beiden kommen sich nicht einmal auf halbem Weg entgegen. Meiner Meinung nach können zwischenmenschliche Beziehungen einen destruktiven Charakter annehmen."

Woher nehmen Menschen wie Kate oder June das Selbstvertrauen, ihr Leben selbst in die Hand zu nehmen? Sie gewinnen es, indem sie sich eigene soziale Nischen erobern. Sie haben inmitten des Durcheinanders ihren Weg gefunden.

Finden Sie Ihren Platz in der Gesellschaft

Wenn ein gesellschaftliches Vakuum den Platz unseres früheren aktiven Lebensstils innerhalb unserer Beziehung einnimmt, erscheint uns unser Singleleben als eine einzige Strafe. Die Unterhaltungsindustrie orientiert sich z.B. größtenteils an Familien und Paaren. Durch die Trennung sind wir nicht länger Teil der breiten Masse. Wir leben an der Peripherie und müssen uns dort einen neuen Platz suchen und erobern. Genau das ist der springende Punkt. Wenn wir unser Leben als Single wirklich genießen wollen, müssen wir den Hindernissen ins Auge blicken und sie dann überwinden.

Fragen Sie sich, welche der folgenden Orte und Aktivitäten Sie allein aufsuchen bzw. unternehmen würden: Restaurant, Kino, Theater, Konzert, eine Abendgesellschaft mit anschließendem Abendessen (vorausgesetzt, dass Sie überhaupt eingeladen sind), ein Wochenendausflug oder ein zweiwöchiger Urlaub. Wenn für Sie keine der oben genannten Aktivitäten in Frage kommt, genießen Sie nicht die gesellschaftlichen Freiheiten, auf die jeder Mensch ein Recht hat – auf die Paare und Familien ein Recht haben und auf die auch Sie als Single ein Recht haben. Warum sollten Sie auch nur eine dieser Freiheiten aufgeben, nur weil Sie allein leben?

Es gibt weder einen moralischen, noch einen praktischen, noch einen logischen Grund, weswegen Sie Ihr Leben nicht genießen sollten. Doch das ist, wie Sie sicher sagen werden, leichter gesagt als getan. Sie klopfen an alle Türen, doch sie bleiben verschlossen. Sie fühlen sich wie ein Aussätziger. Alle haben Spaß, nur Sie nicht. Sobald Sie auf die Straße gehen, sehen Sie nichts als Paare und Familien. Selbst wenn Sie einen Urlaub buchen, müssen Sie einen Einzelzimmerzuschlag entrichten. Und die so genannten Singlebars dienen in Ihren Augen nur einem Zweck: dem Aufreißen. Während Sie als Single durchs Leben gehen, kommen Sie irgendwann zwangsläufig zu der Überzeugung, Sie trügen auf Ihrer Stirn ein Schild mit der

Aufschrift „verzweifelt". Schon bei der bloßen Vorstellung alleine in ein Restaurant zu gehen überläuft Sie ein Angstschauer. Denn eins steht fest, Ihre Mitmenschen werden Sie garantiert mitleidig beobachten. Da Sie Ihre Integrität nicht verlieren wollen, bleiben Sie lieber zu Hause. Doch das bedeutet Einsamkeit. Und die Tatsache, dass Sie durch äußere Umstände regelrecht dazu gezwungen werden, ärgert Sie maßlos.

Trifft das auf Ihre Empfindungen zu? Wenn das der Fall ist, was können Sie dagegen tun? Wie heißt das Zauberwort, das Ihnen die Türen öffnet, die bis jetzt vor Ihnen fest verschlossen waren? Wie lautet die Zauberformel, die Sie wieder lachen lässt? Wie können Sie wieder Kontakte zu Ihren Mitmenschen knüpfen und am gesellschaftlichen Leben teilnehmen?

Das Rezept ist sehr einfach. Sie brauchen dafür folgende Zutaten: Erfindungsreichtum, Mut, eine positive Lebenseinstellung, Anpassungsfähigkeit, Durchhaltevermögen und noch einmal Erfindungsreichtum. Darüber hinaus gibt es für diese Situation einen äußerst hilfreichen Spruch: „Als eigenständiger Mensch muss ich nicht zwangsläufig einsam sein." Denken Sie immer daran, dass Tausende sich in derselben Situation befinden. Es gibt unzählige anderer Menschen, die sich zögerlich in eine Gesellschaft einzubringen versuchen, von der sie immer wieder zurückgewiesen werden. Der Grund für den Ausschluss ist so einfach wie banal: Sie haben keinen Partner und sind somit nicht länger Mitglied der Beziehungsgesellschaft. Werden Sie sich darüber klar, dass wir gemeinsam stark sind. Wir müssen einfach nur in die Welt hinausgehen und uns zusammenfinden.

Im Folgenden möchte ich Ihnen ein Beispiel für die Wirksamkeit des oben genannten Rezepts nennen. June war nach dem Scheitern ihrer 23-jährigen Ehe nicht bereit auf die regelmäßigen Konzertbesuche zu verzichten, die ihr so viel bedeuteten. Sie nahm all ihren Mut zusammen und kaufte sich ein Jahresabonnement für die Oper. Als sie ihren Mut erneut aufs Äußerste strapazierte und das erste Mal allein ein Konzert besuchte, erlebte sie ein Fiasko. „Als ich zum ersten Mal allein in die Oper ging, bestellte ich mir in der Pause etwas zu trinken", erinnert sie sich. „Mein Ex-Mann und ich haben das immer so gehalten, und es war eine tolle Sache. Ohne Begleitung tue ich das nie wieder. Ich stand im Foyer und schaute mich um. Dort waren Hunderte von Menschen und tranken, Hunderte von Paaren. Nur ich stand mutterseelenallein herum. Ich wusste nicht, wohin mit mir. Ich hatte keine Ahnung, wie ich mich verhalten sollte. Ich starrte unverwandt in mein Programmheft. Es war einfach schrecklich."

Seit zwei Jahren besucht June regelmäßig die Oper ohne Begleitung. Wie hält sie dieses Spießrutenlaufen eigentlich aus? „Ich habe verschiedene Strategien entwickelt", erklärt sie. „In den Pausen lese ich entweder in einem Buch oder gehe ein bisschen herum. Manchmal kaufe ich auch Ansichtskarten, setze mich an einen Tisch und schreibe meinen Kindern." Wir brauchen keine Magie. Alles, was wir brauchen, sind wie gesagt: Erfindungsreichtum, Mut, eine positive Einstellung, Anpassungsfähigkeit und Durchhaltevermögen.

Musik ist jedoch nicht Junes einziges Interesse. Sie geht auch regelmäßig allein ins Kino, aber nicht in irgendein Kino. „Ich besuche immer dasselbe Kino. Dort gibt es ein hell erleuchtetes Parkhaus und einen Sicherheitsdienst. So fühle ich mich sicher. Ich kann von meinem Auto direkt ins Kino gehen. Wenn ich ins Theater gehe, nehme ich mir ein Taxi. Auf keinen Fall will ich nachts allein durch die dunklen Straßen zu meinem Auto gehen müssen. So bewahre ich mir meine abendlichen Vergnügen. Dabei setze ich mich jedoch niemals einer Situation aus, die für mich gefährlich werden könnte."

Kates Interessen liegen nicht so sehr im kulturellen Bereich. Sie wollte in ihrer Freizeit etwas Abenteuerliches erleben. Das erforderte Mut, viel Mut. „Im letzten Jahr traf ich die Entscheidung, erstmals allein in den Urlaub zu fahren. Das war der Wendepunkt in meinem Leben. Mein ältester Sohn sagte dazu: ‚Wie schön für dich, Mama. Mach das doch!' Also buchte ich eine dreiwöchige Gruppenreise nach Afrika. Ich kannte niemanden aus der Reisegruppe. Keiner von uns hatte ein Einzelzimmer und wir wechselten immer wieder mal unsere Zimmergenossen. Die Reise war ein guter und sicherer Start für mich. Erst gestern habe ich eine Postkarte von einem meiner Reisegefährten erhalten. Er ist gerade in Korsika. Nächstes Jahr verbringen wir die Ferien wieder gemeinsam."

Caroline kann sich noch sehr gut an ihren ersten Abend in einem Singleclub erinnern. Sie stand der Sache mit gemischten Gefühlen gegenüber, obwohl sie in einer Gruppe hinging. „Auf dem Weg zu den diversen Singlepartys saß ich grundsätzlich im Auto und dachte nur: ‚Ich hasse es. Ich will das nicht tun müssen. Ich will da nicht hineingehen.' Ich empfand es als einen Versuch mich wieder an den Mann zu bringen. Aber ich bin noch nicht so weit, um mich wieder mit anderen Männern zu treffen. Es war schrecklich. Ich glaube, die Menschen auf diesen Veranstaltungen sind wirklich verzweifelt. Das mag sich zwar arrogant anhören, so ist es jedoch bestimmt nicht gemeint. Ich dachte nur: ‚Wenn das meine Zukunft ist, kann ich gut darauf verzichten.' Von diesem Zeitpunkt an hatten wir eine Menge Spaß zusammen. Wir haben zwar noch so manche fragwürdige Veranstaltung besucht, doch wir konnten herzhaft darüber lachen."

Erfindungsreichtum heißt, dass Sie bei Ihrer Suche nach neuen Wegen der Freizeitgestaltung keinesfalls an der erstbesten Möglichkeit festhalten sollten. Sie müssen herausfinden, was Ihnen Spaß macht und was nicht. Nehmen Sie Ihren *Mut* zusammen; gehen Sie aus und wagen Sie das Unbekannte. *Anpassungsfähigkeit* bedeutet in diesem Zusammenhang nichts weiter, als dass Sie Ihr Verhalten insoweit Ihrer Umgebung anpassen, dass Sie weiterhin genau die Dinge unternehmen können, die Ihnen Freude bereiten. Eine *positive Lebenseinstellung* lässt sich mit Ihrer Fähigkeit, sich dem Leben gegenüber zu öffnen, vergleichen. Gehen Sie hoch erhobenen Hauptes durchs Leben und tun Sie das, was Sie für richtig halten, auch wenn Sie immer wieder auf eine unsichtbare Mauer von Vorurteilen stoßen. Zeigen Sie *Durchhaltevermögen* und geben Sie nicht auf, auch wenn Sie immer wieder weniger angenehme Erfahrungen machen müssen.

Das ist das Rezept, mit dessen Hilfe Sie sich Ihren Platz in einer Welt erobern können, aus der Sie von Ihren Mitmenschen immer wieder ausgeschlossen werden. Halten Sie sich an dieses Rezept und bauen Sie Ihr Selbstvertrauen so Stück für Stück wieder auf. Indem Sie es immer wieder ausprobieren, werden Sie erkennen, dass auch Ihnen ein Platz in der Gesellschaft zusteht und dass auch Sie dazugehören.

Allein stehend, aber nicht einsam

Eine der angenehmsten Erfahrungen nach Abschluss des Genesungsprozesses ist die Erkenntnis, dass wir nicht allein sind. Viele andere Menschen befinden sich in derselben Situation. Sie haben in gesellschaftlicher Hinsicht dieselben Zweifel, dieselben Ängste und dieselben Bedürfnisse. Menschen brauchen andere Menschen, das ist die Realität. Es spielt keine Rolle, ob wir verheiratet, geschieden, vom Partner getrennt oder allein stehend sind; die Gesellschaft anderer Menschen ist für unser Wohlbefinden unerlässlich. Ohne den Kontakt zu anderen Menschen verfallen wir in einen Zustand der Lethargie. Wir fühlen uns ausgepumpt und verlieren unsere Lebensfreude.

Das heißt nicht, dass wir nicht hin und wieder für uns allein sein müssen, damit wir uns wohl fühlen. Die Fähigkeit das Alleinsein zu genießen ist ein wichtiger Aspekt des Lernprozesses. Die Trennung von unserem Partner hinterlässt eine große Leere in unserem Leben. Durch ihn bzw. sie wurden viele, wenn nicht sogar alle unserer Bedürfnisse nach sozialem Kontakt, menschlicher Wärme und Kommunikation erfüllt. Durch unsere Trennung haben wir all das auf einen Schlag verloren. Nach dem Scheitern unserer Beziehung stehen wir vor einer großen Aufgabe. Wir müssen uns der Tatsache stellen, dass wir auf uns allein gestellt sind. Darüber hinaus sollten wir unbedingt lernen unser Leben als Single zu genießen. Zunächst fühlen wir uns einfach nur leer, doch sobald wir uns ein eigenständiges Leben aufgebaut haben, empfinden wir Zufriedenheit. Alleinleben bedeutet ein Gleichgewicht zwischen Freude an sozialen Kontakten und der Zufriedenheit mit dem Alleinsein herzustellen.

Die Ansichten unserer Gesellschaft über Scheidungen bzw. Trennungen machen das Auspendeln dieses Gleichgewichts leider nach wie vor zu einer unangenehmen Erfahrung. In gesellschaftlicher Hinsicht haben diejenigen, die es gewagt haben, sich von ihrem langjährigen Partner zu trennen, oder eben von diesem Menschen verlassen wurden, mit einem Stigma zu leben. Ihnen fällt die undankbare Aufgabe zu in einer an Paarbeziehungen orientierten Gesellschaft ihren Weg allein zu finden.

Denken Sie immer an den Spruch: „Als eigenständiger Mensch muss ich nicht zwangsläufig einsam sein." Hierbei sind zwei Aspekte zu betrachten. Zunächst einmal haben Sie ja immer noch sich selbst; seien Sie sich selbst ein guter Freund. Darüber hinaus befinden sich Tausende von anderen Männern und Frauen in derselben Situation wie Sie. Sie können diese Menschen nicht auf den ersten Blick erkennen, noch posaunen diese ihr Schicksal in die Welt hinaus. Wenn Sie sie finden wollen, mischen Sie sich einfach wieder in das gesellschaftliche Leben.

Sara verließ ihren Mann nach mehr als acht Ehejahren und lebte danach in nur einem winzigen Zimmer. Ihr Eheleben bestand aus Kochen, Aufräumen und Waschen. Sie war immer für ihren Mann, ihre Tochter und die Pflegekinder dagewesen. Während ihrer Ehe fand Sara kaum Zeit für sich selbst. Nach der Trennung lernte sie sich selbst besser kennen und genoss ihr Leben als Single in vollen Zügen.

„Bis zu diesem Zeitpunkt war ich mir nicht einmal der Tatsache bewusst, dass so etwas wie mein ‚Selbst' bzw. ‚Ich' überhaupt existierte. Ich fuhr allein in den Urlaub und unternahm Wochenendausflüge. Als ich einen nahe gelegenen See aufsuchen wollte, hatte ich Schwierigkeiten diesen zu finden und fuhr in die falsche Richtung. Ich

fand mich am Ende einer Straße wieder, die in einen zwei-
spurigen Waldweg mündete. Ich folgte dem Weg und die
Äste kratzten an meinem Autodach. Linker Hand entdeckte ich eine Lichtung. Ich betrat die Lichtung und stieß
auf einen Abhang, der ungefähr 30 Meter tief abfiel. Dort
war keine Menschenseele. Ich setzte mich und lauschte
der Stille. Alles, was ich hören konnte, war der Wind. Niemand würde mich hier stören. Ich hatte das Gefühl hierher zu gehören. Ich war Teil der Natur, des Himmels, des
Winds und der Erde."

Nach dieser einmaligen Erfahrung zog es Sara immer
wieder in die einsame Natur. Auf diese Weise konnte sie
sich „erden" und bemerkte, wie gut ihr das tat. Allein mit
der Natur fühlte sie sich heil.

June, die immer schon eine Einzelgängerin gewesen
war, entdeckte, dass ihr, obwohl sie keine Scheu hatte allein ins Kino oder in die Oper zu gehen, die Gesellschaft
anderer Menschen fehlte. Sie nahm erneut all ihren Mut
zusammen und nahm an einem Aktivwochenende teil.

„Beim ersten Mal wäre ich beinah auf halbem Weg wieder umgekehrt. Ich befürchtete, die anderen könnten denken, ich wolle dort nur einen Mann kennen lernen. Doch
das Wochenende war ein großer Erfolg. Seitdem verbringe ich dort einen Großteil meiner Freizeit. Die meisten
von uns sind Singles, obwohl auch einige Paare darunter
sind. Doch keinem geht es darum, einen neuen Partner zu
finden. Es ist einfach nur schön. Als ich nach meinem ersten Wochenende von dort nach Hause zurückkehrte,
schien die Sonne. Ich fuhr durch die Berge und genoss die
Landschaft. Ich kann mich noch gut daran erinnern, dass
ich vor lauter Glück weinen musste. Hätte ich nicht den
Mut aufgebracht zu diesem Workshop zu fahren, hätte ich

all das nie gesehen. Die Erinnerung an diesen Tag ist noch sehr lebendig. Es war herrlich."

Wenn Sie nach der Trennung erste Schritte zur Integration in das gesellschaftliche Leben unternehmen, wird man Sie oftmals auf schmerzliche Weise an Ihr soziales Stigma erinnern. Dieses Stigma ist durchaus real, doch denken Sie immer daran, dass es außerhalb von Ihnen selbst existiert und dessen Ursprünge sich in keiner Weise an Ihrem Wert als Mensch orientieren. Betrachten Sie sich bei Ihren Versuchen, einen Platz in der Gesellschaft zu erobern, einfach als Pionier. Dadurch, dass Sie sich selbst ein soziales Umfeld schaffen, bestimmen Sie auch die Maßstäbe für Ihr Selbstwertgefühl. Sie erkennen, dass es eine Welt gibt, in der auch Sie einen Platz haben.

9

Die Identität als Single entdecken

Heute bin ich der Überzeugung, dass alles, was einem im Leben widerfährt, seine guten Seiten hat. Ich mache mir keine Sorgen mehr. In gewisser Weise glaube ich an die Auferstehung. Doch nicht im herkömmlichen Sinn. Ich glaube nicht, dass wir von den Toten auferstehen. Ich betrachte die Auferstehung als einen lebenslangen Prozess, als unsere Möglichkeit, die Chancen hinter einem Misserfolg zu erkennen, eine Niederlage in einen Erfolg zu verwandeln.

William, 50, geschieden

Wenn wir uns einmal auf das Wesen der Trennung konzentrieren, erkennen wir, dass sich dahinter immer Möglichkeiten zur Veränderung und zur Transformation verbergen. Auch wenn diese Veränderungen von uns durchaus als traumatisch erlebt werden können, bleibt die Tatsache, dass unser Leben einen Wandel vollzieht. Unser Leben ist begleitet von Höhen und Tiefen – Krieg und Frieden, Geburt und Tod, Erfolg und Niederlage, Beziehung und Trennung. All diese Erfahrungen, die positiven wie die negativen, sind in einem unendlichen Kreislauf untrennbar miteinander verbunden. Auf Zerstörung und Chaos folgt zwangsläufig eine Phase des Aufbaus. Dieser Grundgedanke lässt sich ohne weiteres auf eine Scheidung übertragen.

Die Kräfte der Zerstörung tragen in der Regel gleichzeitig den Samen für eine Wiedergeburt in sich. Ob Sie es nun erkennen oder nicht, Ihr Weg in ein neues Leben beginnt in dem Augenblick der Trennung – genau dann, wenn Ihre großen Erwartungen an die Beziehung sich in Luft auflösen. Ihnen mag es zunächst so vorkommen, als hätten Ihr Wille und Ihre Kraft für einen Neuanfang Sie zusammen mit Ihrem Partner verlassen.

Wie oft haben wir schon beobachtet, wie ein Gebäude durch Flammen zerstört wurde und nach den Aufräumarbeiten ein weitaus prachtvolleres Bauwerk an dessen Stelle errichtet wurde? Auf Kriege und Naturkatastrophen – auf alle zerstörerischen Kräfte – folgt eine Phase der Erneuerung. Durch eine Trennung wird das Fundament unseres Lebens im wahrsten Sinn des Wortes dem Erdboden gleichgemacht. Worin mag der tiefere Sinn dieser Situation liegen? Wie sollten wir dem Scheitern unserer Beziehung, der Leere und der Trauer danach etwas Positives abgewinnen? Die folgende These wird Sie sicherlich optimistisch stimmen: „Auf dem Boden von Zerstörung, Verlust und Schmerz gedeiht eine Blume. Und diese Blume, die heißt Freiheit."

Sobald Sie Ihre negativen Gefühle hinter sich gelassen und sich mit Ihrem gesellschaftlichen Stigma arrangiert haben, genießen Sie absolute Freiheit. Sie können ganz von vorn beginnen und Ihr Leben ohne jegliche Einschränkungen so gestalten, wie Sie wollen. Sie haben jetzt die Möglichkeit und die Freiheit der Mensch zu werden, der Sie sein wollen. Nutzen Sie diese Chance, finden Sie eine neue Identität und nehmen Sie sich dabei jede Freiheit, die Sie brauchen und wollen. Hierbei spielt es keine Rolle, wie negativ und schmerzlich die Anfänge für Sie gewesen sind. Sie können aus dieser Erfahrung nur lernen und sich ein neues Leben aufbauen. Betrachten Sie Ihren Schmerz als Lehrmeister.

Ganz egal, wie pathetisch und unrealistisch Ihnen diese Worte erscheinen mögen – Tatsache ist, dass Sie genau das erreichen können. Viele andere vor Ihnen haben es auch geschafft. Sie haben eine Trennung erlebt, von der Sie glaubten, dass Sie sich nie davon erholen würden. Letztendlich haben Sie Großes vollbracht. Die einzigen Grenzen, die uns in unserer Entwicklung einschränken, sind die, die wir uns selbst setzen. Wenn wir uns zu sehr darauf konzentrieren, was uns in der Vergangenheit Schreckliches widerfahren ist, vergessen wir nur zu leicht, dass es auch einen Weg nach vorn gibt. Ein Weg, der geradewegs in eine glückliche Zukunft führt. Bevor wir nun diesen Weg beschreiten können, ist noch eine letzte Aufgabe zu erledigen. Wir müssen die Tatsache akzeptieren, dass unser Leben sich unwiderruflich verändert hat. Wir sind nicht mehr der Mensch, der wir einmal waren, und wir werden es auch nie wieder sein.

Die Veränderung akzeptieren

In unserer Kindheit erzählt man uns Märchen. Wir lernen, dass traurige Schicksale grundsätzlich ein Happy End haben. Kinderbücher handeln von guten Menschen. Die Guten werden am Ende belohnt, während die Bösen ihre gerechte Strafe erhalten. Wäre unsere Welt vollkommen, wäre es dort ebenso. Alles nähme ein glückliches Ende. Ehen hielten ein Leben lang. Mann und Frau lebten friedlich, zufrieden und glücklich miteinander bis an ihr Lebensende.

Doch unsere Welt ist nicht vollkommen. Die heilende Kraft und die Energie, die in einer engen, von Liebe erfüllten Beziehung entsteht, lässt sich nicht einfangen. Der Kampf, den zwei Menschen, die in einer solchen Beziehung lebten, sich nach der Trennung liefern, spottet jeder Beschreibung. Wenn wir uns an jemanden binden und unser Leben mit ihm teilen, empfinden wir beim Scheitern dieser Beziehung einen unermesslichen Schmerz. Durch den Verlust des Partners verlieren wir einen Teil von uns selbst. Dies ist einer der Gründe, warum wir eine Trennung um jeden Preis vermeiden wollen. Wir würden einen unwiederbringlichen Verlust erleiden und müssten uns in unbekannte Gefilde vorwagen. Dabei spielt es keine Rolle, ob wir verlassen werden oder ob wir derjenige sind, der die Beziehung beendet.

Robert erkannte erst einige Jahre nach der Scheidung von seiner Frau, dass er dadurch einen Teil seines Selbst verloren hatte. Die Zeit und die Erwartungen, die er in seine Ehe investiert hatte, waren für immer verloren. „Sobald es mich selbst betraf, war die Scheidung für mich ein traumatisches Erlebnis. Natürlich ließen sich Paare scheiden. Doch ich hätte nicht einmal im Traum daran gedacht, dass mir so etwas passieren könnte. Als es mich dann traf, war ich fassungslos. Manchmal überkommt mich auch heute noch eine tiefe Traurigkeit. Kein Mensch lebt jahrelang in einer Ehe und geht dann unbeschadet aus einer Scheidung hervor."

Wir alle kennen den Begriff Phantomschmerz. Menschen mit amputierten Gliedern verspüren genau dort Schmerzen, wo früher ihr Bein oder ihr Arm waren. Die Nachwehen einer Trennung sind mit diesem Phantomschmerz durchaus vergleichbar. Die Erinnerung an das Leben, das wir verloren haben, holt uns immer wieder ein. Bilder aus der Vergangenheit sind plötzlich wieder präsent. Wir haben so viel Zeit, so viel Energie und einen so großen Teil unserer Persönlichkeit in unsere Beziehung investiert. Wenn diese Beziehung dann zerbricht, unterscheidet uns nichts von den Opfern einer Katastrophe, die, auch nachdem der Schock und die Verletzungen abgeklungen sind, nie wieder dieselben sind wie früher. Bevor Sie sich daranmachen können ein neues Leben zu beginnen, müssen Sie die Veränderung Ihrer Indentität und Ihres Lebensstils anerkennen, die eine Trennung mit sich bringt. Wenn Sie akzeptiert haben, dass Sie nie mehr der Mensch sein werden, der Sie einmal waren, haben Sie die letzte Phase Ihres Genesungsprozesses erreicht. Die vollständige Regeneration schließt die Integration des Erlebten in Ihre Persönlichkeit ein. Die Trennung wird so zu einem Teil Ihrer Persönlichkeit und ist nicht länger etwas, das Sie in der Vergangenheit erlebt haben.

Sobald Sie die Trennung bewusst verarbeitet haben, erschließen sich Ihnen neue Energiequellen, die Ihnen während der Beziehung nicht zugänglich waren. Diese Quellen wurden entweder durch die Struktur Ihrer Beziehung erstickt oder auch in andere Bahnen geleitet.

Vier Jahre nach ihrer Scheidung hatte Emmas Leben sich vollkommen verändert. Nachdem sie sich 18 Jahre lang kontrolliert, demoralisiert und wertlos gefühlt hatte, führt sie jetzt ein äußerst erfolgreiches Leben. Doch sie muss sich immer wieder selbst dazu auffordern, den Veränderungen offen gegenüberzutreten. „Inzwischen geht es mir wirklich bedeutend besser. Doch manchmal fühle ich mich immer noch sehr einsam. An manchen Tagen bin ich regelrecht am Boden zerstört. Doch diese Tage werden immer seltener. Es geht mir gut und ich fühle mich mit jedem Tag besser. Ich bekomme mein Leben immer besser in den Griff. Ich habe einfach bessere Laune und ich lache sehr viel häufiger. Langjährige Bekannte sagen immer öfter zu mir: ‚Ich wusste gar nicht, dass du auch so sein kannst!' "

Carolines Trennung liegt jetzt über ein Jahr zurück; inzwischen ist sie in der Lage die Veränderungen in ihrem Leben zu akzeptieren und mit dem Wandel in ihrem Innern sowie dem ihrer Umwelt umzugehen. „Es war ein weiter Weg bis hierher und ich habe noch ein gutes Stück vor mir. Die Leute versuchen dir einzureden, dass du dich nach ein paar Monaten besser zu fühlen hast. Sobald du wieder ausgehst, glauben sie, du bist wieder vollkommen in Ordnung. Doch so einfach ist es nicht. Ich weiß nicht, wann ich mich von meiner Trennung völlig erholt haben werde. Doch es geht mir schon sehr viel besser als letztes Jahr um diese Zeit. Ich hätte es nie für möglich gehalten, dass ich mich überhaupt je wieder so gut fühlen könnte, wie ich es jetzt schon tue. Viele Dinge in meinem Leben bereiten mir sehr viel Freude und ich komme immer besser zurecht."

Sobald Sie Ihre Situation akzeptiert haben, werden Sie eine große Erleichterung empfinden. Wenn Sie diese Erfahrung gemacht haben, sind Sie frei. Jetzt haben Sie die Freiheit, sich über die positiven Seiten Ihrer Trennung klar zu werden. Dieser Prozess lässt sich mit dem Herablassen eines langen Seils vergleichen. Ganz langsam, Stück für Stück, lassen Sie es immer weiter herab. Bevor Sie das nächste Stück herablassen, versichern Sie sich, dass Sie die Situation fest im Griff haben. Indem Sie sich eine stabile Grundlage für Ihr weiteres Leben schaffen, entdecken Sie gleichzeitig Ihre eigene Vielseitigkeit. In dieser Phase vollführen Sie einen Balanceakt. Sobald Sie sich eine solide Basis geschaffen haben, können Sie ernsthaft wachsen.

Das allmähliche Wachstum der eigenen Persönlichkeit gleicht einem alchemistischen Prozess in unserer Psyche. Der nagende Kummer wird zum Gold der Erleuchtung. Das, was Sie um ein Haar zerstört hätte, ist zur Triebfeder Ihrer Selbstentdeckung geworden.

Der Schmerz wird zu Einsicht

Der Schmerz nach einer Trennung ist wertlos, wenn wir nicht bereit sind daraus zu lernen. Tatsächlich hält der Schmerz so lange an, bis wir etwas daraus gelernt haben. Wir können ihn durchaus mit einem Damm oder auch einer Barriere vergleichen, egal, in welchem Abschnitt unseres Lebens wir ihn empfinden. Der Schmerz kann durchaus über mehrere Jahre andauern, auch wenn wir uns dazu bereit erklären unsere Lektion zu lernen. Stirbt ein geliebter Mensch, so gilt die Trauer als eine natürliche Reaktion. Durch den Tod dieses Menschen ist in unserem Leben eine unersetzliche Quelle des Wohlbehagens versiegt, die uns nie wieder zur Verfügung stehen wird. Solange wir uns diesem Gedanken hingeben, sind wir nicht in der Lage, diesen Menschen loszulassen. Dasselbe gilt für den Verlust einer Beziehung. Denn Beziehungen lassen sich in vielerlei Hinsicht mit einem eigenständigen Wesen vergleichen. Wir können eine Beziehung auch als ein Kind geteilter Energien, des gemeinsamen Wachstums und der Symbiose zweier Menschen betrachten. Und wenn dieses Kind nun „von uns geht", trauern wir um die Tatsache, dass wir es für immer verloren haben.

Einsicht erreichen wir, indem wir uns tief im Inneren darüber klar werden, dass unsere Beziehung lediglich eine wichtige Wachstumsphase in unserem Leben und unserer Entwicklung war. Doch erst wenn wir uns darüber klar werden, dass unser Leben nicht durch die Partnerschaft definiert wird, sondern unsere Ehe bzw. Beziehung lediglich einen Teilaspekt unseres Lebens darstellte, können wir uns von dieser Beziehung befreien. Wir sind die Verpflichtung einer Partnerschaft eingegangen und haben dafür unseren größten Besitz – Sinn und Zweck unseres Lebens – geopfert. Scheitert nun diese Beziehung, sind wir gezwungen, uns diesen wertvollen Besitz mühsam zurückzuerobern. Sobald Sie den Sinn Ihres Lebens nicht länger in einer Beziehung suchen und Ihr Leben wieder selbst in die Hand nehmen, erkennen Sie, dass eine Beziehung zwar einen gewissen Teil unserer Bedürfnisse befriedigen kann, doch dass der eigentliche Lebenszweck nicht ausschließlich in einer Partnerschaft zu suchen ist. Wenn Sie dies als Tatsache akzeptieren können, sind Sie bereit für die Entwicklung Ihrer persönlichen Identität.

Nach dem Scheitern unserer Beziehung können wir unsere überholten Vorstellungen von Ehe und Partnerschaft unmöglich von heute auf morgen ablegen. Wir halten zunächst an der Überzeugung fest, unser Leben müsse sich an einer Beziehung orientieren. Wir betrachten die Beziehung weiterhin als Leitstern unseres Lebens. Erlischt nun dieser Stern, verlieren wir zunächst die Orientierung. Unsere Partnerschaft hat, unabhängig von unseren eigenen Wünschen und Vorstellungen, den Weg bestimmt, den wir in unserem Leben gehen sollten. Jetzt, wo der Leitstern nicht mehr am Firmament unseres Lebens leuchtet, müssen wir neue Wege finden und uns eigene Orientierungshilfen schaffen.

Genau das ist der Weg, auf dem Sie Schmerz in Selbsterkenntnis umwandeln können. Hierin liegt der Schlüssel für Ihre Zukunft. Wir müssen akzeptieren, dass unser Leben nicht erst durch die Beziehung einen Sinn erhält, sondern dass unsere Beziehung lediglich einen Aspekt unseres Lebensziels dargestellt hat.

Zum besseren Verständnis dieser Tatsachen wollen wir im Folgenden einen Blick auf die Geschichte werfen. Die Weltgeschichte setzt sich aus immer wiederkehrenden Kreisläufen aus Entwicklung und Wachstum zusammen. Diese Zyklen sind in Perioden, wie z.B. das finstere Mittelalter oder die Renaissance, unterteilt. Doch die Menschen, die in dieser Zeit gelebt haben, waren sich nicht bewusst, Teil eines historischen Zeitalters zu sein, durch das sie heute definiert werden. Sie konnten nicht in die Zukunft schauen und ihre eigene Rolle in der Entwicklung der Menschheitsgeschichte erkennen. Alles, was diese Menschen beschäftigte, war das Hier und Jetzt. Sie haben die Zeit nicht in Zeitaltern gemessen. Die Auswirkungen ihres Verhaltens auf zukünftige Generationen waren ihnen nicht bekannt. Sei es nun zum Vorteil oder Nachteil der folgenden Generationen – jedes Zeitalter hinterlässt ein Vermächtnis: die Kunst, die Wissenschaft, die Kriegskunst, die Philosophie oder wichtige Entdeckungen. Aufgabe der folgenden Generation ist der kluge Umgang mit der jeweiligen Hinterlassenschaft.

Diese Analogie lässt sich auf die verschiedenen Phasen unseres Lebens übertragen und schließt die Phase unserer Beziehung ein. Die Erinnerung an die gescheiterte Beziehung verursacht in der Regel großen Schmerz. Aus diesem Grund würden wir diese Erinnerungen am liebsten aus unserem Bewusstsein löschen. Da Sie nach einer Trennung nie wieder der Mensch sein werden, der Sie einmal waren, trauern Sie vielleicht um den Menschen, der Sie einmal waren. Doch diese Trauer ist nichts weiter als eine Weigerung gegen die Chancen und Möglichkeiten, die

sich Ihnen durch die Trennung eröffnen. Wenn Sie die Veränderung in Ihrem Leben erst einmal akzeptiert haben,
können Sie auch die positiven Aspekte Ihrer neuen Le-
benssituation erkennen und aus den Erfahrungen lernen.
Erkennen Sie Ihre Ehe als eine abgeschlossene Phase im
Fluss Ihres Lebens an.

Vicky gab sich vier Jahre lang der vergeblichen Hoffnung hin, ihr Mann würde irgendwann doch noch zu ihr
zurückkehren. Als die Scheidung schließlich amtlich war,
hat auch sie ihre Beziehung als eine Phase in ihrem Leben
anerkannt. Sie drückt diese Einsicht in so einfachen Wor-
ten aus, dass der tiefere Sinn leicht verborgen bleibt: „In
der ersten Zeit nach der Trennung wünschte ich mir, ich
hätte jemand anderen geheiratet. Doch nachdem die
Scheidung offiziell war, war ich endlich wieder ein eigenständiger Mensch. Heute betrachte ich meine Ehe als eine
abgeschlossene Phase in meinem Leben."

Vickys Worte spiegeln sowohl ihre innere Akzeptanz als
auch die Erkenntnis wider, dass Sinn und Ziel ihres Lebens nicht in der Ehe liegen. Sie übernahm mehr als 30
Jahre lang die Rolle der Hausfrau und Mutter. Dadurch
definierte sie einerseits ihr Leben, andererseits steckte sie
sich dadurch enge Grenzen. Sie betrachtete es als den Sinn
ihres Lebens, eine perfekte Hausfrau und Mutter zu sein.
Erst nachdem ihr Mann sie verlassen hatte und sie die
Lektionen, die eine Trennung für uns alle bereithält, gelernt hatte, konnte sie den letzten Schritt tun. Sie akzep-
tierte ihre Ehe als eine Etappe auf einer großen Reise.

In den ersten Jahren ihrer Ehe verfasste Vicky Gedichte.
Auf diese Weise drückte sie ihre Gefühle aus. Doch als sie
von Bills Affäre erfuhr, hörte sie damit auf. Nachdem sie
ihre Situation akzeptiert und aus ihren Erfahrungen gelernt hatte, fing sie wieder an zu schreiben. Es dauerte je-

doch fünf Jahre, bis sie wieder mit derselben Hingabe schreiben konnte wie früher.

Robert versuchte sich während seiner Ehe das Leben zu nehmen. Mit dem Scheitern seiner Ehe hatte sein Leben den Sinn verloren, daher erschien ihm der Kampf um diese Ehe sinnvoll. Selbst wenn er dafür mit dem Leben bezahlen musste. Er erkannte, dass seine Beziehung in einer Sackgasse steckte. Andererseits konnte er sich ein Leben ohne seine Frau nicht vorstellen. Trotz seiner Scheidung hat er nie wieder einen Selbstmordversuch unternommen und sein Leben erschien ihm lebenswert genug, um noch einmal von vorn anzufangen. Genau zu diesem Zeitpunkt eröffneten sich ihm wunderbare Wege. Robert und seine beste Freundin, die ebenfalls eine Trennung hinter sich hatte, verwirklichten ihren Traum. Sie gründeten einen Förderverein, der Menschen, die ihre Trennung allein nicht verarbeiten können, Hilfe und Unterstützung bieten sollte. Sein Schmerz hatte sich in Einsicht verwandelt und dieses Wissen hatte sich zu einer heilenden Kraft entwickelt. Hätte ihm jemand an dem Abend, an dem er die Tabletten schluckte, erzählt, dass seine Zukunft so aussehen würde, hätte er das nie für möglich gehalten. Zu diesem Zeitpunkt war seine Ehe sein einziger Lebensinhalt. Er glaubte nicht an ein Leben jenseits der Grenzen seiner Beziehung.

Je mehr Zeit wir in eine Beziehung investieren, umso schwerer fällt es uns, die Freiheit als eine mögliche Alternative zu betrachten. Unser Leben erscheint uns ohne unseren Partner sinnlos. Wenn Sie Ihr Leben und Ihre Eigenständigkeit einer Beziehung opfern, erscheint Ihnen die Tür in die Freiheit immer schemenhafter und ist schließlich völlig unsichtbar. Letztlich ist das Wissen, dass es ein Leben ohne Beziehung gibt, eben durch unsere Partnerschaft so weit in den Hintergrund getreten, dass es für uns schließlich nicht mehr als eine vage Erinnerung darstellt. Dieses Wissen schlummert jedoch irgendwo tief in Ihrem Bewusstsein.

Roberts Engagement für andere Menschen in derselben Situation hatte einen positiven Nebeneffekt: Sein Selbstbewusstsein wuchs und er fand zu innerer Stärke. Er wurde sich dieser Veränderung bewusst, als seine Exfrau ihn in seiner neuen Wohnung besuchte. „Als sie mir ihren Besuch ankündigte, forderte ich sie auf, ihre Religion zu Hause zu lassen. Endlich hatte ich die Kraft ihr das zu sagen. Für mich war das eine völlig neue Erfahrung. Mein neues Ich verfügt über Charaktereigenschaften, die andere Menschen sehr bewundern und an denen sie sich orientieren können. Heute stehe ich allen Situationen sehr viel offener gegenüber. Seitdem ich mich sozial engagiere, weiß ich, dass jede Geschichte mindestens zwei Seiten hat. Nichts ist nur weiß oder nur schwarz."

Als Hughs Leben sich nach seiner Ehe in einen einzigen Scherbenhaufen verwandelt hatte, entglitt es seiner Kontrolle. Doch hinter diesem Erlebnis verbarg sich eine Lektion, die Hugh zu lernen hatte. Er musste erkennen, dass die Ehe nur eine von vielen Lebensformen darstellt. Flexibilität erscheint vielen Menschen als Bedrohung. Die Möglichkeit, althergebrachte Verhaltensmuster und die Alltagsroutine abzulegen und die Koexistenz von Veränderungen und festen Strukturen als Tatsache zu akzeptieren, flößt den meisten von uns große Angst ein.

Indem wir die Struktur unseres Lebens den Veränderungen und der Entdeckung unserer Möglichkeiten anpassen, sind wir in der Lage uns weiterzuentwickeln, ohne uns von verletzten Gefühlen beeinträchtigen zu lassen. Wir können diesen Zustand erreichen, indem wir uns darüber bewusst werden, woher wir kommen und wohin wir gehen. Betrachten Sie die „Stationen" Ihres Lebens einfach aus einer geschichtlichen Perspektive heraus.

Auch Hugh war irgendwann in der Lage, seinen Schmerz in Verständnis zu verwandeln. Die Unfähigkeit seine alltäglichen Pflichten zu verrichten, verwandelte sich nach und nach in Erkenntnis. „Ich habe wirklich sehr, sehr lange gebraucht und viele, viele schlaflose Nächte verbracht. Ich brachte Jahre damit zu, mir eine simple Überlebensstrategie anzueignen: Ich nahm jeden Rückschritt als neue Chance wahr und machte mir klar, dass dahinter ein tieferer Sinn verborgen war. Über einen Zeitraum von einigen Jahre hat mein Selbstwertgefühl sich wieder gefestigt. Ich habe es systematisch immer weiter aufpoliert. Heute kann ich Nein sagen. Und wenn den Leuten das nicht gefällt, ist das deren Problem. Der positivste Effekt der Trennung war für mich die Erfahrung, dass ich auch allein überleben kann."

Noch vor einigen Jahren war William vollkommen abhängig von seiner Ehe; sie gab seinem Leben einen Sinn. Seine Beziehung bestimmte seine Identität: Er war ein guter Vater und Versorger seiner Familie, ganz einfach ein „guter Kerl". Als seine erste Ehe scheiterte, zog er sofort los und besorgte sich einen Ersatz. Als auch seine zweite Ehe in die Brüche ging, stürzte er sich wieder in eine neue Beziehung. Doch dieses Mal hatte die Beziehung nicht den gewünschten Effekt. Solange er sein Selbstwertgefühl und sein Lebensziel von etwas abhängig machte, das außerhalb von ihm selbst existierte – einer Beziehung –, wurde er zwangsläufig immer wieder aufs Neue enttäuscht. Erst als er sich dieser Tatsache stellte und bereit war daraus zu lernen, erkannte er, dass er sowohl sein Selbstwertgefühl als auch den Sinn und Zweck seines Lebens selbst bestimmen musste. Die Verantwortung für die Verwirklichung seiner Wünsche und Träume lag ganz allein bei ihm. Niemand außer uns selbst ist dafür zuständig, und kein Mensch ist in der Lage, all unseren Wünschen und Bedürfnissen vollkommen zu entsprechen, und das jeden Tag unseres Lebens. Wir müssen selbst die Verantwortung für unser Selbstwertgefühl und unsere Erwartungen übernehmen. Dann wissen wir, was Freiheit ist.

Nachdem William nicht weiter nach einer Beziehung suchte, die seine Bedürfnisse befriedigen sollte, veränderte sich sein Leben dramatisch. Aus William, dem Familienmenschen, der lediglich einige wenige gute Freunde hatte, wurde der allseits bekannte und beliebte William. Heute betrachtet er sein Leben als ein einziges Abenteuer: „Der wichtigste Schluss, den ich aus dieser Erfahrung gezogen habe, ist gleichzeitig der Schlüssel zu allem anderen: Lerne dich selbst zu lieben. Ich glaube, diese Einsicht hat mein Leben grundlegend verändert. Das ist wohl auch der Grund dafür, dass die meisten Menschen mich so schnell ins Herz schließen. Ich liebe die Menschen, ohne Ausnahme. Ich denke, das macht den Unterschied. Diese Selbstliebe lernt man schon ziemlich zu Anfang des Wegs, sobald man mit dem Schmerz und den negativen Gefühlen umgehen kann. Als ich aufgehört habe mich im Kreis zu drehen und sowohl meine Umwelt als auch mich selbst wieder mit offenen Augen betrachtet habe, war ich fähig, mich selbst und die Menschen um mich herum zu lieben."

Selbsterkenntnis und das Akzeptieren der eigenen Situation führen zu grundlegenden Veränderungen in unserem Leben. Auf diese Weise ändert sich unsere Einstellung sowohl zu bestehenden als auch zu potenziellen neuen Freundschaften. Unsere Einstellung zur Partnerschaft und unsere Erwartungen an eine Beziehung sind nicht länger dieselben. Irgendwann fragen wir uns, ob wir wirklich eine Beziehung brauchen oder wollen. Darüber hinaus haben wir jetzt etwas, von dem wir nie gedacht hätten, jemals darüber zu verfügen: die freie Wahl.

Offen sein für neue Beziehungen

Ihre Einstellung und Ihre Offenheit gegenüber neuen Beziehungen wird sich verändern; seien Sie darauf vorbereitet. Wenn Sie früher der Meinung waren, ohne eine feste Beziehung nicht leben zu können und sogar von dieser Beziehung abhängig zu sein, werden Sie diese Einstellung zu potenziellen neuen Beziehungen zwangsläufig überdenken. Jeder Mensch sollte sich darüber im Klaren sein, dass er sehr wohl allein leben und dieses Leben auch wirklich genießen kann. Wenn Sie frei und unabhängig leben, heißt das nicht, dass Sie keine neue Beziehung mehr eingehen sollten oder eine neue Partnerschaft nicht genießen sollten bzw. könnten. Durch Ihre Selbsterkenntnis und Flexibilität haben Sie in einer neuen Beziehung die Freiheit zur Mitbestimmung. Sie haben ein besseres Verständnis für Ihre eigenen Bedürfnisse sowie die Funktionsweisen verschiedenster Mechanismen einer Beziehung entwickelt. Sie sind dadurch in der Lage Ihren Teil zum Bestehen einer Partnerschaft beizutragen, einer Beziehung, in der Sie leben können und wollen. Ein besseres Selbstverständnis sowie möglichst große Flexibilität und Kreativität finden Eingang in eine neue Beziehung und führen zu einem besseren Verständnis beider Partner. Diese Partnerschaft zeichnet sich durch gegenseitiges Geben und Nehmen sowie durch ein besseres Einfühlungsvermögen aus.

Das Leben als Single ist nicht gleichbedeutend mit Beziehungsunfähigkeit. Sie verlassen ja nicht das Ufer, um nie wieder Land zu betreten. Durch Ihre Unabhängigkeit erschließen sich Ihnen jedoch exotischere, komplexere und weiter entfernte Ufer. Sie eröffnet Ihnen völlig neue Horizonte.

Sie können sich natürlich dazu entscheiden, keine herkömmliche Partnerschaft mehr einzugehen. Beziehungen lassen sich jedoch nicht nur als das Zusammenleben von Paaren definieren. Niemand zwingt uns unsere Beziehungen nach traditionellen Werten auszurichten. Wir können unsere individuelle Definition von Beziehung weitaus flexibler gestalten und so unseren Bedürfnissen im Hier und Jetzt entsprechen. June hat diesen Weg gewählt. „Wenn ich heute noch einmal heirate, würde ich es nicht als gegeben voraussetzen, dass er für immer bleibt. Er dürfte auch nicht bei mir einziehen. Ich kann hier niemanden gebrauchen, der mir erzählt, wie ich zu leben habe oder gar erwartet, dass abends das Essen für ihn auf dem Tisch steht. Das brauche ich nicht noch einmal."

William hat dieselbe Entscheidung getroffen. Zur Zeit lebt er in einer Beziehung, die sowohl ihm als auch seiner Partnerin gerecht wird. „Ich kenne meine Freundin schon seit ungefähr drei Jahren. Wir führen keine feste Beziehung im herkömmlichen Sinne. Sie ist damit zufrieden, so wie es ist. Ich habe sie einmal gefragt, ob es sie sehr verletzen würde, wenn ich eine Frau fände, mit der ich zusammenleben wollen würde. Sie antwortete mir, dass sie darüber sehr traurig sein und mich sehr vermissen würde. Aber sie besteht nicht auf gegenseitigen Verpflichtungen und wir sind sehr glücklich in unserer jetzigen Beziehung."

Die Welt der Beziehungen ist für uns nicht länger ausschließlich schwarz oder weiß. Wenn Sie noch nicht bereit sind gegenseitige Verpflichtungen einzugehen und in einer Partnerschaft zu leben, gibt es keinen vernünftigen Grund für eine enge Bindung, nur weil Ihnen Gefühle und körperliche Nähe fehlen. Wenn Sie also eine lockere Beziehung eingehen, sollten Sie sich darüber im Klaren sein, dass es für diese Form der Partnerschaft keinerlei feste Regeln gibt. Doch einige Fragen sollten im Vorfeld unbedingt geklärt werden: Sind wirklich beide Beteiligten mit der Situation zufrieden? Fühlt sich einer von beiden verletzt oder wünscht sich eine engere Beziehung? Erfahren Sie in der Beziehung Wärme und Geborgenheit ohne Schuldgefühle? Fühlen Sie sich wohl? Wenn beide Seiten keine weiteren Ansprüche an die Beziehung hegen und die Situation akzeptieren, kann diese Beziehungsform eine echte Bereicherung Ihrer Lebensqualität darstellen.

Ihre Einstellung zur Partnerschaft sowie Ihre Erwartungen an künftige Beziehungen tragen ebenfalls zur Veränderung Ihres Lebens bei. Wenn Sie das Trauma einer Trennung erlebt haben, stellen Sie an potenzielle neue Beziehungen selbstverständlich völlig andere Ansprüche. Nachdem Sie Ihren emotionalen Hausputz abgeschlossen und sich von dem bitteren Nachgeschmack der Scheidung befreit haben, stellen eine neuerliche Bestandsaufnahme sowie die in den meisten Fällen erforderliche Erneuerung Ihrer Ansprüche und Erwartungen ein wirksames Leitmotiv für zukünftige Entscheidungen dar. Der Schmerz über den Verlust ist nicht vergeudet, er hat die Erfahrung in persönliches Wissen umgewandelt.

Als Hugh Annie heiratete, war er der Überzeugung, ihre Wunden aus der Kindheit, die Misshandlungen durch ihren alkoholkranken Vater, heilen zu können. Er war sich sicher, dass eine stabile Ehe die Lösung für Annies Probleme darstellte. Als er feststellen musste, dass er die Wunden nicht heilen konnte, fühlte er sich hilflos. Hugh hatte die Kontrolle verloren. Doch durch die Trennung lernte er sich selbst besser kennen und gewann ein besseres Verständnis seiner Beziehung gegenüber. Dieses Wissen kommt ihm heute zugute. „Beim nächsten Mal stelle ich sicherlich mehr Fragen. Ich würde so viel wie möglich über diesen Menschen erfahren wollen, mit dem ich eine enge Beziehung eingehe."

Caroline musste erkennen, dass sie und ihr Mann Tom niemals offen und ehrlich miteinander gesprochen hatten. Nachdem sie von seiner ersten Affäre erfahren hatte, wurde die Angelegenheit unter den Teppich gekehrt und nie wieder ein Wort darüber verloren. Sie haben nie darüber gesprochen, warum Tom dieses Verhältnis eingegangen war. Diese Affäre war nichts anderes als ein Alarmsignal; doch beide haben es missachtet. Caroline war so erleichtert darüber, dass es nicht zur Katastrophe gekommen war, dass sie es für das Beste hielt die Angelegenheit zu vergessen. Doch nach zwölf Jahren tauchten dieselben Probleme erneut auf. Tom hatte wieder eine Affäre, die dieses Mal die Scheidung zur Folge hatte. Carolines größter Albtraum war Wirklichkeit geworden. Sie hat jedoch aus ihren Erfahrungen gelernt.

„Ich glaube, durch die Trennung bin ich sehr viel empfänglicher für die Gefühle und Gedanken meiner Mitmenschen geworden. Ich kann jetzt besser auf die Bedürfnisse anderer Menschen eingehen. Ich glaube, dass ich mich heute auch von ganz anderen Menschen angezogen fühle. Ich bin im Umgang mit Problemen egoistischer geworden, d.h., ich kehre sie nicht mehr um des lieben Friedens willen unter den Teppich. Ich weiß, dass man über

Probleme sprechen muss. Wenn du einmal so teuer für etwas bezahlt hast, kaufst du es nie wieder. Ich vertraue heute auf mein eigenes Urteil. In einer neuen Beziehung würde ich Offenheit und Kommunikation einen sehr viel höheren Stellenwert einräumen."

Wie Robert schon sehr treffend bemerkte, geht kein Mensch unbeschadet aus einer Scheidung hervor. Niemand erlebt das Trauma einer Trennung, ohne davon für sein Leben gezeichnet zu sein. So ist nun einmal die Realität. Doch diese Narben sind Zeichen eines Lernprozesses. Würden wir nach unserer Geburt in einen Glaskasten gesteckt, von der Außenwelt abgeschottet, hätten wir keinerlei Möglichkeiten Erfahrungen zu sammeln oder Beziehungen zu anderen Menschen aufzunehmen – wir wären vollkommen leer, nichts als hohle Gefäße. Nur durch den Kreislauf aus Zerstörung und Wachstum, Schmerz und Freude lernen wir. Indem wir Beziehungen zu unseren Mitmenschen eingehen, lernen wir uns selbst besser kennen. Nur so erfahren wir, wer wir wirklich sind.

Eine positive Identität als Single

In der ersten Zeit nach der Trennung scheint unser Leben sinnlos. Wir können uns gar nicht vorstellen, dass unser Leben je wieder etwas anderes enthalten könnte als Schmerz und Leere. Wir wissen, dass uns immer ein Hauch der Trauer über den geplatzten Traum begleiten wird. Die Krise in unserer Beziehung und deren letztliches Scheitern hat uns regelrecht zerstört. Gleichzeitig wurden unsere Hoffnungen, Erwartungen und unser Vertrauen in die Zukunft vernichtet. Die Energie, die Zeit und das Engagement, die wir investiert haben, haben durch die Trennung an Bedeutung verloren. Wir gewinnen den Eindruck, dass das, was unserem Leben einen Sinn gegeben hat, gleichzeitig das Fundament unserer eigenen Identität gebildet hat. Die Gedanken daran, dass wir alles für diese Beziehung gegeben haben und uns nach der Trennung nichts davon bleibt, holen uns immer wieder ein. Wir gleichen in gewisser Weise den Überlebenden einer verheerenden Katastrophe. Wir können uns beim besten Willen nicht vorstellen, dass wir jemals wieder lachen und unser Leben als lebenswert empfinden können.

Doch unser Leben hat sich verändert und wird das auch weiterhin tun. Ihre Aufgabe ist es jetzt herauszufinden, wer Sie wirklich sind und wer Sie sein wollen. Die wichtigste Lektion haben Sie schon gelernt: zu überleben. Sie haben die Kraft und die Stärke, eine der unangenehmsten Erfahrungen für die Seele, die Sie je treffen können, zu bewältigen. Diese Kraft bleibt Ihnen immer erhalten und sie wird Ihnen helfen, den Weg in ein neues Leben zu finden, ein Leben mit neuen Zielen. Bald werden auch Sie ein starkes Selbstbewusstsein entwickelt haben und Ihre persönliche Freiheit genießen.

Junes Mann hat ihr Selbstbewusstsein in den 24 Jahren ihrer Ehe konsequent untergraben; sie sei zu dick, zu dumm und unfähig einen Haushalt zu führen. Damals hat sie ihm geglaubt. Heute hat June ein völlig anderes Selbstbild. Sie ist eine äußerst aktive Frau und studiert unter anderem Kunstgeschichte. „Heute glaube ich an mich selbst. Ich bin mit mir selbst zufrieden. Ich habe einen guten Charakter. Ich bin intelligent. Ich kenne meine Vorzüge und Fähigkeiten. Und ich bin stolz darauf, dass ich sehr gut allein zurechtkomme. Darauf bin ich wirklich stolz. Ich führe meinen Haushalt, halte einen großen Garten in

Ordnung; ich gehe arbeiten, studiere und unterstütze meine Kinder bei ihrem Studium. Und all das schaffe ich ganz allein."

Emma hat in ihren Ehejahren weder über ein eigenes Bankkonto verfügen noch ihre finanziellen Angelegenheiten selbstständig regeln dürfen. Seit dem Tag ihrer Hochzeit hat sie ihr eigenes Gehalt nicht einmal mehr zu Gesicht bekommen. Ihre Ehe wurde 1992 geschieden und nur vier Jahre später führte sie ein eigenes florierendes Geschäft. Eine wirklich hervorragende Leistung für eine Frau, die bei ihrem Mann um Haushaltsgeld betteln musste. Emma hat sowohl sich selbst als auch ihre eigenen Fähigkeiten erkannt. Sie ist sich darüber klar geworden, dass ihr keine Grenzen gesetzt sind. „Das hat mir wirklich viel gebracht. Ich habe dadurch mein Selbstvertrauen zurückgewonnen und ich habe endlich eine Aufgabe. Ich tue etwas für mich selbst. Und mir wird jeden Tag aufs Neue klar, dass ich das nie erreicht hätte, wenn ich noch verheiratet wäre. Niemals."

William hat erst kürzlich seinen 50. Geburtstag gefeiert. Seine Freunde organisierten ihm zu Ehren eine Party, auf die sie auch einige Überraschungsgäste einluden. Lyn, seine erste Frau, kam mit ihrem Mann und Jacqueline, seine zweite Frau, erschien mit ihrem Lebensgefährten. Als seine beiden Exfrauen ihn gemeinsam zum Tanzen aufforderten, verschlug es ihm die Sprache. Er erinnert sich: „Ich erkannte, dass ich niemanden verloren hatte. Meine Familie war sogar größer geworden. Ich weiß, dass nicht jeder dieses Glück hat. Schließlich gehören immer zwei oder wie in meinem Fall drei Menschen zu einem Tango. Doch mit ein bisschen gutem Willen und Verständnis lässt sich viel erreichen."

William war der Meinung, er könne ohne eine feste Beziehung nicht leben und sein Wert als Mensch sei durch seine Rolle als Familienoberhaupt, Vater und Ernährer definiert. Heute ist er nichts mehr von alledem und ist doch viel mehr als das. Nach seinen Ansprüchen an sich selbst gefragt, erwidert er: „Ich möchte all das sein, was ich sein kann, und all das, was ich mir vorstellen kann zu sein. Und das will ich mit so vielen Menschen wie möglich teilen."

Das ist kein Wunschtraum. Jeder, der eine Trennung erlebt hat, empfindet tiefen Schmerz und intensive Gefühle. Sobald wir uns von dem Schlag erholt haben und uns aus dem Scherbenhaufen unseres Lebens eine neue Identität aufgebaut haben, stellen wir fest, dass wir einzigartig sind. Wir sind wirklich wir selbst. Unser neues Leben ist immer da und wartet auf uns. Sobald wir die Trennung nicht als das Ende, sondern als einen Anfang betrachten, können wir dieses Leben annehmen. Die Trennung ist nichts weiter als der Anfang einer Entdeckungsreise, deren Ziel wir selbst sind. Einer Reise, die uns über die Grenzen hinausführt, die wir uns durch unsere Erwartungen – unsere Erwartungen an uns selbst – gesetzt haben.

Stichwortverzeichnis

Regeln für ein glückliches Leben

304 Seiten | 12,5 × 18,7 cm
Broschur
9,99 € (D) | 10,30 € (A) | sFr. 14,90
ISBN 978-3-86882-244-1

Werner Krag

WARUM BIN ICH EIGENTLICH NICHT GLÜCKLICH?

Wege zu einem richtig
guten Leben

Eigentlich geht es uns doch gar nicht so schlecht. Warum sind so viele von uns dann immer so unzufrieden, ja unglücklich?

Die meisten Menschen bleiben irgendwann im alltäglichen Mittelmaß stecken und vergessen ihre Träume. Doch das muss nicht sein! Es gibt einige Grundregeln, die man einhalten kann, um sich die Freude am Leben zu bewahren und psychisch stabil zu bleiben.

Mit vielen sensibel porträtierten Fallbeispielen zeigt Dr. Krag diese auf und weist uns den Weg in ein selbstbestimmtes Leben voller Freude und Glück.